SERVOMÉCANISMES
ET RÉGULATEURS

« QUE SAIS-JE ? »

LE POINT DES CONNAISSANCES ACTUELLES

N° 1502

SERVOMÉCANISMES ET RÉGULATEURS

par

A.-J. FOSSARD

Professeur à l'École Nationale Supérieure
de l'Aéronautique et de l'Espace

PRESSES UNIVERSITAIRES DE FRANCE

108, Boulevard Saint-Germain, Paris

1973

Dépôt légal. — 1re édition : 4e trimestre 1973
© 1973, Presses Universitaires de France
Tous droits de traduction, de reproduction et d'adaptation
réservés pour tous pays

INTRODUCTION

Servomécanismes et *régulateurs* ! Pour beaucoup ces deux mots prêtent à confusion et ont, dans un monde où toute technique qui tient à son prestige doit s'affubler d'une appellation qui sonne bien, un relent d'ancien et de démodé, même pas compensé par le charme des vieilles choses. Ainsi donc le terme « régulateur » n'évoque-t-il bien souvent, tant la fortune du régulateur de Watt fut grande, que deux boules de cuivre portées par un losange articulé tournant autour d'un axe ! Quant au premier vocable, « servomécanisme », il contient le mot « mécanisme » qui sent la première révolution industrielle et le mot « servo » qui peut, soit ne rien rappeler, soit, si on a des lettres, évoquer le mot latin *servus* — *i. e.* esclave — ce qui, tant du moins qu'on n'en a pas vu les implications technologiques, n'est pas enthousiasmant. Quant à ceux qui, comme nous l'avons encore vu récemment, l'écrivent « cerveaumécanisme », sans doute pour faire pendant aux soi-disant cerveaux électroniques, ils seraient peut-être plus proches de la réalité actuelle de certaines orientations de cette discipline s'ils ne montraient tant d'ignorance !

Or pourtant, si nous vivons la deuxième révolution industrielle, qui vise non plus seulement à remplacer les muscles de l'homme, mais aussi, pour une part, ses capacités de décision et d'adaptation, nous le devons en grande partie aux techniques des servomécanismes qui constituent le pilier de l'automatique et dont les implications dans toutes les activités de notre société moderne sont chaque jour plus importantes.

PREMIÈRE PARTIE

CHAPITRE PREMIER

SERVOMÉCANISMES, RÉGULATEURS ET SYSTÈMES SUIVEURS

Certains estiment que l'exposition de toute matière doit commencer par des définitions. On nous pardonnera pourtant de ne pas nous appesantir trop savamment dans ce domaine et de préférer des explications simples et directes. Chacun sait combien il est difficile de s'entendre sur la définition d'un mot qui recouvre une réalité à mille facettes. La plupart des notions que nous avons à introduire sont assez intuitives et quelques exemples, le moment voulu, nous aideront plus efficacement à introduire le vocabulaire nécessaire et à faire les distinctions plus subtiles qui s'imposent que ne le feraient des définitions formelles.

I. — Notion de commande

La notion de *servomécanisme* est d'abord associée à la notion de *commande* qui consiste non seulement en la transformation de forces au moyen de mécanismes divers mais implique également l'utilisation d'une source de puissance auxiliaire, le plus souvent bien supérieure à celle employée dans l'élément de commande proprement dit.

Supposons par exemple qu'on veuille régler la température T d'un four chauffé au mazout. L'admission du combustible au brûleur se fait à travers une vanne que l'on peut plus ou moins ouvrir en tournant une manivelle M (voir fig. 1 *a*). A une position de la manivelle correspond, par l'intermédiaire du mécanisme d'ouverture de la vanne, un débit de mazout. Il en résulte une certaine quantité de calories apportée au four et, par suite des échanges thermiques, une température. On dira que la manivelle commande la température du four, entendant par là qu'il existe une certaine relation entre la position de la manivelle et la température du four.

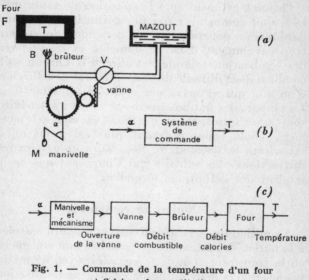

Fig. 1. — Commande de la température d'un four
a) Schéma de constitution
b) et *c)* Schémas fonctionnels

Si on appelle α l'angle repérant la position de la manivelle, on pourra symboliquement visualiser cette relation de causalité par un schéma comme celui de la figure 1 *b*, appelé *schéma fonctionnel*, où le rectangle représente le système, la flèche de gauche la grandeur d'entrée (ou grandeur réglante) et celle de droite la grandeur de sortie (ou grandeur réglée). En fait, comme on l'a vu en décrivant le système physique concerné, la température n'est qu'indirectement liée à la position de la manivelle. Il y a souvent intérêt à ce que le schéma fonctionnel rappelle ce fait, en mettant en évidence les diverses parties du système, comme le montre la figure 1 *c*.

II. — Notion de servomécanisme

Dans l'exemple précédent on a supposé, pour simplifier, que le système n'avait qu'une entrée et qu'une sortie. Ceci ne représente toutefois qu'une approximation assez grossière de la réalité et tout système physique est en réalité affecté par un certain nombre d'entrées dont celle choisie n'est que la principale. Les autres, bien qu'à un degré moindre, agissent également sur le système et viennent modifier la relation entrée-sortie prévue, donc fausser le résultat.

Reprenons l'exemple du four à propos duquel on a dit que la position de la manivelle commandait la température. Est-ce à dire qu'il sera possible d'obtenir la température désirée et de la maintenir à cette valeur simplement en tournant la manivelle jusqu'à un repère donné ? Vraisemblablement non car cela supposerait que les propriétés calorifiques du four soient parfaitement connues et immuables, et que le débit de calories fourni par le brûleur n'est fonction que de la position de la vanne. En pratique de nombreux facteurs feront qu'il n'en est pas ainsi. Les propriétés calorifiques du four varieront avec la température extérieure, les dépôts qui peuvent se former à l'intérieur, et bien évidemment si on en ouvre la porte. La quantité de calories fournie est fonction de la position de la vanne mais aussi de la qualité du combustible, des pressions dans les tuyauteries d'alimentation, de l'encrassement des brûleurs...
Autrement dit, si on veut effectivement commander la température du four il ne suffira pas, compte tenu de tous ces facteurs parasites que l'on appelle, le mot est significatif, des *perturbations*, d'afficher une position de la manivelle ; il

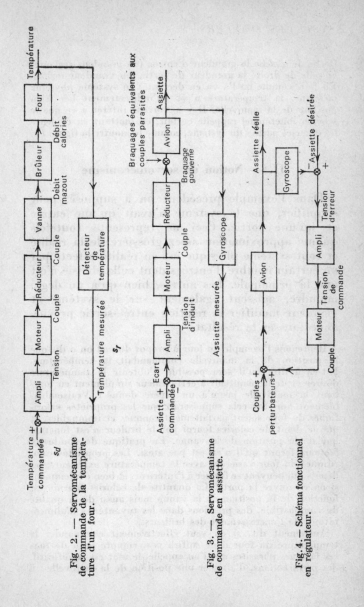

Fig. 2. — Servomécanisme de commande de la température d'un four.

Fig. 3. — Servomécanisme de commande en assiette.

Fig. 4. — Schéma fonctionnel en régulateur.

faudra voir en plus comment cet ordre est exécuté (1) et, s'il ne l'est pas correctement, prendre les mesures qui s'imposent.

Que ferait un opérateur chargé de maintenir la température constante et qui pourrait y consacrer tout son temps ? Il observerait la température réelle à l'intérieur du four, au moyen d'un appareil de mesure adéquat, et la comparerait à la température désirée. Si elle est trop faible il ouvrirait un peu plus la vanne de façon à augmenter l'apport de calories. Si au contraire elle était trop forte il agirait en sens contraire.

Autrement dit, il commanderait la température du four, non plus en fonction de la température à atteindre, mais en fonction des écarts observés entre la température réelle et celle qui lui a été fixée.

Ceci peut être réalisé automatiquement si la manivelle, au lieu d'être commandée à la main, l'est par un moteur électrique dont la tension de commande est proportionnelle à l'écart de température mesuré par un capteur thermoélectrique. Le système de commande peut être schématisé comme l'indique la figure 2.

De la même façon, dans le cas de la commande d'un avion en assiette, à une position du manche ne correspondra pas exactement l'assiette désirée. Ceci parce que la dynamique de l'avion n'est pas constante (l'avion ne réagit pas de la même façon à faible et grande vitesses, à basse et haute altitudes) et que des rafales atmosphériques, que l'on peut assimiler à des couples parasites sur la gouverne, viennent également solliciter l'avion. On devra alors mesurer l'écart entre l'assiette désirée et l'assiette réelle, par exemple au moyen d'un gyroscope. C'est la tension délivrée par cet instrument qui, après amplification, commandera l'induit du moteur électrique comme le montre la figure 3.

Si on compare les schémas fonctionnels des figures 2 et 3 à celui de la figure 1, on voit que le fait de commander le système en fonction de l'écart amène une modification fondamentale de la structure des schémas fonctionnels. On a, en quelque sorte, « ramené la sortie sur l'entrée » et le schéma au lieu d'être en chaîne ouverte a une *structure bouclée*.

---

(1) La nécessité de contrôler l'ordre donné n'est pas spéciale, comme chacun sait, au domaine technique. On la retrouve dans toutes les activités humaines de commande.

Cette structure bouclée se retrouve dans tous les servomécanismes et c'est pourquoi on a parfois tendance à assimiler servomécanisme et système bouclé (1).

L'organe qui assure la comparaison de la sortie désirée s_d à la sortie réelle s_r, et qu'on a symboliquement représenté sur les schémas fonctionnels précédents par un petit cercle accompagné de deux signes (le signe + associé à l'entrée de référence, le signe — au retour d'asservissement), est appelé comparateur. C'est évidemment un organe essentiel du servomécanisme, puisqu'il est à la base de son fonctionnement, et sa conception demande beaucoup de soins.

III. — Fonctionnement en régulateur et en système suiveur

Dans les deux exemples précédents la « commande », c'est-à-dire le signal d'entrée du servomécanisme, était supposée constante, au moins pendant un temps suffisamment long par rapport à la dynamique du système. Dans ce cas, on peut prendre cette valeur comme référence, et la supposer nulle. Le but du système de commande est alors de maintenir la sortie à cette valeur constante quelles que soient les perturbations qui peuvent se produire. On dira que le servomécanisme fonctionne en *régulateur* (2) et on a parfois intérêt à traduire sur

---

(1) Ceci est vrai en général. Tout système dont le schéma fonctionnel est bouclé n'est pas nécessairement toutefois un servomécanisme. Il faut de plus, comme c'est le cas dans les exemples précédents, que la relation entre l'écart et la correction qui en résulte soit bilatérale, *i. e.* que cette action soit fonction du signe de l'écart. On reviendra plus loin sur cette notion.

(2) On a parfois tendance à appeler « régulateur » un servomécanisme fonctionnant en régulateur. Si une telle pratique se trouve justifiée par l'habitude il faudra prendre soin qu'il n'y ait pas d'équivoque car des systèmes de commande en boucle ouverte peuvent dans certains cas également être appelés régulateurs.

le schéma fonctionnel le fait que, dans ce cas, les perturbations constituent les vraies entrées du système.

Le schéma de la figure 3 se redessine ainsi comme indiqué à la figure 4. Il ne s'agit là en fait que d'une question de commodité ou d'habitude et il n'y a pas lieu d'y attacher une importance trop grande.

Il peut se faire au contraire que l'on désire que la sortie du système reproduise une certaine évolution imposée par la commande. Ce sera par exemple le cas du four si le traitement thermique des pièces situées à l'intérieur impose une montée en température parfaitement définie. Ce serait le cas d'un système d'orientation d'un radar qui devrait toujours suivre une cible... Dans ces conditions le but essentiel du système de commande est de faire que la sortie suive l'entrée, quelles que soient les variations de l'entrée. On dira que le servomécanisme fonctionne en *système suiveur* ou en asservissement.

Ces deux notions, de fonctionnement en régulateur ou en système suiveur, sont en fait assez relatives et ne font guère que traduire l'importance plus ou moins grande que l'on donne à l'un ou l'autre de ces deux types de marche. Si *grosso modo* le fonctionnement en régulateur évoque plutôt une idée de précision et celui en système suiveur une de rapidité, un servomécanisme devra pouvoir fonctionner selon les deux schémas. C'est le cas de la commande du four qui devra assurer un programme de température, aussi bien variable que constant. C'est le cas d'un pilote automatique auquel on demandera aussi bien, pendant certaines phases du vol, de maintenir constante l'altitude de l'avion que de lui permettre des montées ou des descentes à taux constant.

IV. — Relativité de la notion
de servomécanisme

A dire vrai, la notion de servomécanisme peut être relative selon l'optique dans laquelle on se place. L'utilisateur, l'ingénieur d'intégration ou celui chargé de la réalisation d'un sous-système n'envisageront sûrement pas le problème de la même manière. L'utilisateur le plus souvent se souciera peu de savoir s'il a affaire à un servomécanisme ou non. Il lui suffira que « son » système de commande lui donne toute satisfaction. De même l'ingénieur d'intégration n'aura pas à savoir si tel ou tel organe qu'il intègre dans son système de commande est un servomécanisme ou non. C'est du reste ce qu'on a fait dans les exemples précédents lorsqu'on a supposé qu'à une tension de commande du moteur électrique correspondait une position de l'axe de sortie (ceci exige en fait un retour de position).

Peut-être plus caractéristique encore est le cas où le retour d'asservissement se fait de lui-même et ne résulte pas d'une intention délibérée extérieure.

Considérons un système de commande constitué par un moteur électrique entraînant en rotation une charge. Le moteur est supposé être un moteur à courant continu à commande d'induit dont le flux inducteur est constant (cf. fig. 5 a). Lorsqu'on applique une tension de commande v aux bornes de l'induit, le moteur fournit un couple qui communique à la charge (que l'on supposera inertielle $i. e.$ les frottements sont négligés) une certaine vitesse Ω. Le schéma fonctionnel du système est naturellement celui indiqué figure 5 b). Si on examine de plus près le fonctionnement du système les lois de la physique montrent que le couple moteur est proportionnel au courant d'induit ; mais ce courant n'est pas seulement fonction de la tension appliquée, de la résistance R et de l'impédance L de l'induit. Un phénomène de réaction d'induit se produit, c'est-à-dire que, dès que le moteur tourne, il se développe une force contre-électromotrice proportionnelle à la vitesse, qui vient s'opposer à la tension de commande, selon la loi :

$$v = Ri + L \frac{di}{dt} + k\Omega$$

qui est traduite par le schéma de la figure 5 c). Les deux schémas b) et c) correspondent au même système, selon des degrés de compréhension différents.

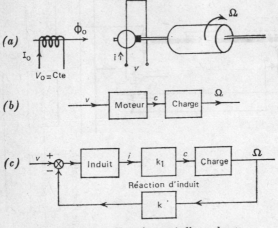

Fig. 5. — Entraînement d'une charge
par un moteur à commande d'induit

On pourrait signaler également que nombre de systèmes de commande en boucle ouverte peuvent être considérés comme des systèmes en boucle fermée si on considère que l'opérateur humain qui s'en sert fait partie du système. C'est précisément lui qui « referme la boucle ». La difficulté dans ce cas est de chiffrer son comportement fort complexe et fort variable (selon son entraînement, sa fatigue, ses soucis...), d'une manière suffisamment précise. Bien que de nombreux travaux aient été faits dans ce domaine et que des résultats intéressants aient

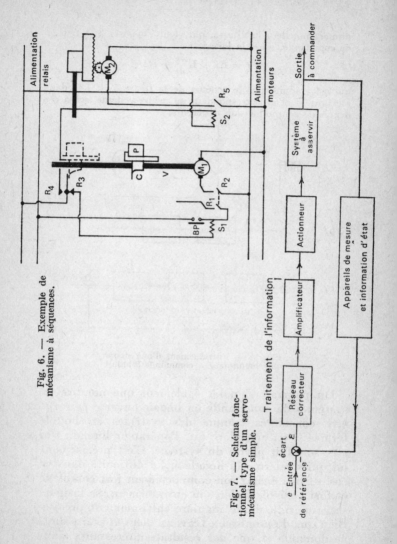

Fig. 6. — Exemple de mécanisme à séquences.

Fig. 7. — Schéma fonctionnel type d'un servo-mécanisme simple.

été obtenus (principalement dans le domaine des systèmes de pilotage), nous exclurons dans le cadre présent ces systèmes asservis des servomécanismes que nous considérons.

V. — Servomécanismes et systèmes séquentiels

Une distinction qu'il importe de faire, car c'est souvent un motif de confusion, est celle qu'il y a entre un servomécanisme et un automatisme séquentiel. Cette distinction permettra au passage de mieux préciser la part des servomécanismes dans le développement actuel de l'automatique. Suivant la ligne que nous nous sommes fixée, nous partirons d'un exemple. Soit donc le système schématisé figure 6. Il s'agit, si l'on veut, d'un exemple très simplifié de machine transfert dont le but est de déplacer une pièce en translation d'un poste de travail à un autre où un trou doit être foré et dont nous allons expliquer le fonctionnement. On suppose que les deux moteurs M_1 et M_2 assurant le mouvement de translation et de la perceuse sont arrêtés au début de notre analyse. Quant à la position des relais indiqués, c'est celle correspondant à l'état du système avant la mise en route.

Le relais R_3 étant fermé, supposons que l'on enfonce le bouton poussoir BP ; on alimente le solénoïde S provoquant ainsi la fermeture des deux contacts de travail du relais R_2. Le moteur M_1 est dès lors alimenté et sa rotation entraîne celle d'une vis mère, donc la translation du chariot C portant la pièce à transporter P. Ce mouvement continue du reste, même si on relâche le bouton poussoir car le relais de travail de R_2 étant fermé l'alimentation du solénoïde est assurée. Il va continuer jusqu'à ce que le chariot arrivant à la position finale désirée pousse la palette mobile du contact R_3, ouvrant ainsi ce relais et provoquant l'arrêt du moteur M_1. La même palette ferme le contact R_4 qui provoque à son tour la fermeture du relais R_5 provoquant ainsi l'avance de la perceuse.

Le fonctionnement du système s'opère par phases, par séquences ; une action, une fois commencée, ne peut qu'aller jusqu'à son terme, en en déclenchant éventuellement une autre. Si boucle fermée il y a, c'est au niveau de l'information et elle ne l'est qu'à des intervalles de temps bien plus grands que les constantes de temps caractéristiques du système. C'est ce qu'on appelle un *automatisme à séquences* auquel manque un caractère fondamental des servomécanismes. Celui d'exercer la commande en fonction d'un écart d'une manière bilatérale.

VI. — Structure générale
des servomécanismes

C'est à dessein que nous n'avons pas multiplié dans les pages qui précèdent les exemples de servomécanismes. Leur variété est telle que tout ce livre pourrait ne contenir que des exemples sans que l'on ait réussi à en échantillonner tous les types. Tels quels ils permettent néanmoins de se faire une première idée de la structure générale d'un système asservi et des avantages que l'on peut en attendre.

La figure 7 représente le schéma fonctionnel type d'un servomécanisme simple. Qu'y trouve-t-on ?

D'abord le système à commander, que l'on appellera souvent processus. Ce processus réagit sous l'action d'une certaine grandeur d'entrée qui est la sortie d'un organe moteur ou actionneur. Cet actionneur est lui-même commandé par le signal d'écart fourni par le comparateur, signal *grosso modo* proportionnel à la différence entre les signaux de référence et de sortie du servomécanisme mesuré dans la chaîne de retour.

En fait, même pour un servomécanisme très simple le schéma fonctionnel ne serait pas complet si on n'introduisait deux autres organes importants ; le premier est l'amplificateur : le signal en sortie du comparateur est en général à très bas niveau (ce peut être le signal sortant d'une cellule photoélectrique ou d'un gyromètre par exemple), et il est nécessaire de l'amplifier pour pouvoir exciter les actionneurs. Le deuxième est le réseau correcteur : son but est de modifier le signal d'écart fourni par le comparateur afin d'améliorer les performances statiques et dynamiques du système bouclé.

Il ne s'agit là, bien entendu, que d'un schéma très simplifié. De plus en plus l'information dont on a besoin sur le système ne peut se limiter à la mesure de la seule sortie. D'autres grandeurs caractéristiques de l'état du système devront très souvent être connues. Dans certains cas elles pourront être directement mesurables (dans le cas d'une commande d'avion on peut, par exemple, mesurer directement l'assiette et la vitesse d'assiette en utilisant un gyroscope et un gyromètre). Dans d'autres cas où elles ne le sont pas directement, on peut utiliser les relations qui les lient à d'autres grandeurs connues. Souvent leur connaissance nécessite la mise en œuvre de systèmes ou d'algorithmes plus ou moins complexes que l'on a rassemblés sous la dénomination « information d'état » à la figure 7.

De la même façon, le « réseau correcteur » tend à devenir de plus en plus une véritable unité de « traitement de l'information », qui assurera en particulier des opérations de lissage et de prédiction. Qu'il s'agisse de réseaux correcteurs classiques ou plus élaborés de traitement, ces dispositifs se retrouvent toujours dans les étages basse puissance du système de commande, c'est-à-dire en amont des amplificateurs et des organes moteurs ; ils pourront par contre se trouver aussi bien dans la chaîne directe que dans la chaîne de retour.

De toute façon ce schéma ne représente qu'une idéalisation et une simplification de la réalité. Dans la pratique un servo-mécanisme comportera souvent plusieurs chaînes de retour, dont les points de départ et d'arrivée seront ou non différents, et éventuellement des chaînes d'action directe destinées soit à assurer une compensation partielle de certaines perturbations mesurables, soit à assurer une précommande qui peut se révéler nécessaire lorsque sans cela la dynamique d'un servomécanisme classique serait trop lente. Le plus souvent ces diverses chaînes de réaction sont associées à des fonctions différentes et concernent des phénomènes à des fréquences différentes.

Un cas typique est par exemple celui d'un pilote automatique assurant le maintien d'altitude d'un avion. Le système simplifié comprendra une première boucle destinée à assurer un amortissement correct en assiette. La commande d'altitude proprement dite est réalisée par une deuxième boucle, à fréquence plus lente et que l'on appelle souvent, pour cette raison, chaîne de surveillance.

VII. — Caractères des servomécanismes

Que peut-on attendre d'une telle disposition et surtout de l'existence d'une chaîne de retour puisque c'est là la caractéristique fondamentale d'un système asservi ?

D'abord, le fait de commander le système en fonction des résultats obtenus, *i. e.*, à partir de la différence entre la sortie réelle et la sortie désirée, permet au système de fonctionner, au moins dans une large part, dans des conditions imprévues. Ceci est apparu déjà dans l'exemple simple du four où le système cherche à maintenir la température constante en prenant de lui-même les actions correctrices qu'il faut pour contrer les perturbations diverses. Cette adaptation ne se fait pas seulement vis-à-vis de perturbations extérieures (comme par exemple une variation de la pression d'alimentation du mazout ou des propriétés calorifiques de l'enceinte...). Elle se fait également en partie (1) vis-à-vis des variations des propriétés propres du processus. Ceci est très important dans la mesure où cette capacité des servomécanismes permet de s'affranchir d'une connaissance rigoureusement exacte du système à commander.

C'est toute la différence avec un système en boucle ouverte qui ne remplira sa tâche correctement que si, au départ, toutes les conditions ont été prévues et si rien ne vient modifier les hypothèses faites. C'est toute la différence par exemple entre un obus de DCA et un missile sol-air autoguidé. Le premier n'atteindra son but que si le mouvement de la cible a été exactement prévu, si

(1) En partie seulement. Si les caractéristiques du processus évoluent dans des conditions importantes il sera nécessaire de concevoir un système auto-adaptif.

l'obus a exactement la vitesse désirée à la sortie du canon, si aucune rafale atmosphérique ne vient perturber son mouvement. Le second restera toujours aligné sur la cible quelles que soient les manœuvres d'échappement faites.

Du reste, c'est seulement dans ces cas que l'utilisation d'un servomécanisme est intéressante. Si le processus est parfaitement connu et si les conditions d'emploi ne font intervenir aucun élément imprévu, un simple automatisme en boucle ouverte fait aussi bien l'affaire. C'est le cas des machines-transferts.

Ensuite, on a vu que dans un servomécanisme la véritable variable de commande était en fait un écart que le système tend à tout instant à annuler. Une telle manière de procéder est évidemment très bénéfique au point de vue précision puisqu'elle empêche une amplification ou une dérive incontrôlée de l'erreur.

Finalement, dans un servomécanisme, la chaîne directe assure la fonction de puissance, comme dans un système en boucle ouverte. Les fonctions de précision et d'adaptation sont assurées, quant à elles, par la chaîne de retour. De cette séparation des fonctions résultera une amélioration fondamentale des performances.

VIII. — Historique des servomécanismes

L'automatisation est née de la mécanisation et a constitué, dans le développement technique de notre civilisation, une étape, pour ne pas dire une révolution, fondamentale.

Le régulateur à boules, adapté en 1767 par James Watt au tiroir de commande d'une machine à vapeur, est souvent considéré comme le premier véritable exemple de servomécanisme. Comme cela se produit souvent lorsque les systèmes à commander ont des possibilités réduites et que les performances demandées restent, tout comme les matériels, relativement médiocres, l'adaptation du régulateur à la machine ne demanda en fait que de l'intuition et de l'astuce et se fit en dehors de toute considération théorique.

Est-ce à dire qu'une théorie est inutile ? Sûrement pas ! De fait, les caractéristiques des machines s'améliorant, en particulier le rapport couple/inertie, l'adaptation du régulateur à la machine commença à poser des problèmes sérieux lorsque apparurent des phénomènes instables inattendus. L'astuce, pas plus que le savoir-faire, ne permettait de les expliquer, d'en trouver la cause, et d'y remédier. Le besoin d'une théorie était apparu.

Ses premiers éléments en furent posés par Maxwell dans un mémoire resté célèbre, *On governors*, présenté à la Royal Society en 1868. Plus d'un siècle s'était écoulé depuis les premières réalisations, un siècle au cours duquel, de fait, les progrès restent maigres !

C'est la même année également qu'un ingénieur lyonnais, Joseph Farcot, conçoit un appareil qu'il appelle le « servomoteur » et qui devait être utilisé, cinq ans plus tard, dans la commande des mouvements du gouvernail des garde-côtes *Bélier*, *Bouledogue* et *Tigre*. Le cas de Farcot est intéressant, non seulement dans la mesure où il peut être considéré comme le père des mots servomoteur et servomécanisme (1), mais aussi parce qu'il apparaît (avec Whitehead qui mit au point à la même époque un système de commande de torpille) comme un précurseur dans le domaine des applications maritimes. De fait, de cette date jusqu'en 1925, la marine fut à l'origine de la plus

_____

(1) Qu'on ne considérera donc pas comme des anglicismes.

grande part des progrès faits par les systèmes asservis, soit dans le domaine de la commande des tourelles d'artillerie de marine, soit dans celui de la commande de route des navires (Minorski, 1922).

Un autre domaine où les recherches furent poussées activement fut celui des communications. La nécessité de compenser les affaiblissements en ligne des liaisons téléphoniques à grandes distances amène les ingénieurs, en particulier ceux de la Bell, à mettre au point des amplificateurs à contre-réaction et surtout à étudier les problèmes de bande passante et de stabilité qui leur étaient liés. Si Nyquist laissa son nom dans un fameux traité publié en 1932, il n'est que justice de rappeler que Strecker arrivait indépendamment aux mêmes solutions.

Cette influence des ingénieurs en communication fut considérable dans l'établissement d'une théorie des servomécanismes ; non seulement en raison des progrès qu'ils lui firent faire mais aussi parce qu'ils lui imprimèrent une orientation fondamentale en se plaçant dans une optique fréquentielle en considérant les systèmes comme des filtres. Cette orientation devait durer de nombreuses années, et ce ne fut que bien plus tard, avec le développement des problèmes de commande optimale et l'extension des calculateurs numériques, qu'un retour vers les méthodes temporelles devait s'amorcer.

Lorsque débute la deuxième guerre mondiale, la théorie des servomécanismes existe donc déjà dans ses premiers fondements. Les asservissements ne sont plus conçus empiriquement mais des méthodes analytiques permettent d'aborder leur conception sur une base plus ordonnée tandis que leur synthèse se trouve facilitée par l'utilisation d'abaques. Les méthodes originellement conçues pour l'étude des réseaux par Bode, Bayard, Nyquist ont été reformulées et sont applicables aux servomécanismes. Les phénomènes de pompage et d'oscillations qui apparaissent lorsqu'on utilise des relais dans les chaînes de commande, et qui avaient longtemps empêché l'extension de leur usage, malgré leur simplicité et leur robustesse, ont reçu un début d'explication par Hazel.

Dès lors, les conditions sont réunies pour que, stimulées par les nécessités de l'effort de guerre, les techniques des servomécanismes fassent des progrès considérables, tant sur le plan de la théorie que sur celui des applications. C'est pendant cette période que sont précisées les notions de temps de réponse, de dépassement, de réglage du gain.

C'est également pendant cette période que les problèmes de guidage prennent leur importance. Il ne s'agit pas seulement d'assurer les fonctions de régulation et d'amortisseur (dès 1928 Siemens avait réalisé, sur maquette, un pilote automatique amortisseur), mais de pilotage et de guidage.

L'élan était pris et les progrès ne devaient pas se ralentir. Brown et Hall développent les méthodes transitoires en 1946. La prise en compte des éléments non linéaires devient une réalité grâce aux travaux de Duthil et de Kochenburger en 1950. Si leurs méthodes restent des méthodes fréquentielles, étendant les notions de fonction de transfert, on voit à cette occasion se développer parallèlement des méthodes temporelles dans l'espace de phase.

L'industrie aérospatiale et la compétition économique exigent des performances toujours meilleures (performances qui sont rendues possibles par l'amélioration des matériels), et on assiste alors à l'apparition de nouveaux types de servomécanismes adaptatifs et optimaux. Les systèmes de commande à temps minimal sont d'abord les plus étudiés, tant aux Etats-Unis qu'en URSS. Très vite le temps cesse d'être le seul critère considéré ; on veut minimiser une consommation, maximiser un profit... et ce, en tenant compte des contraintes imposées par la technologie. Les théories classiques ne suffisent plus et de nouveaux outils comme le principe du maximum de Pontriaguine (1958) et la programmation dynamique de Bellman (1957) sont mis au point.

Sans doute est-il intéressant de faire ressortir dans cette évolution plusieurs points :

— d'abord, ainsi que le faisait remarquer naguère l'ingénieur général Naslin dans un éditorial du *Bulletin de l'Association française de Cybernétique économique et technique*, il y a le fait que, contrairement à ce qu'on peut croire, une théorie, jugée et justifiée à la lumière des problèmes qu'elle permet de résoudre, n'est pas quelque chose d'absolu ;

— le deuxième point qu'il faut signaler est que les techniques sont liées. Les travaux de Bellman et de Pontriaguine n'auraient sûrement pas eu l'impact qu'ils eurent et la plupart des méthodes de commande optimale seraient restées des spéculations mathématiques sans applications réelles si, à la même époque, les calculateurs numériques n'étaient venus apporter un moyen de les mettre en œuvre. Ainsi le développement des systèmes asservis et celui des calculateurs sont-ils aujourd'hui étroitement liés, au moins pour les applications les plus élaborées, tant industrielles qu'aérospatiales ;

— un troisième point dont il faut, croyons-nous, bien prendre conscience est que plus une technique progresse, plus elle a besoin d'un support théorique important. N'est-il pas significatif à cet égard que le fameux principe du maximum, une des bases de l'automatique optimale aujourd'hui, ait été pour la première fois énoncé par son auteur à Edimburgh à un Congrès de mathématiciens ! Le développement technologique et le développement des outils mathématiques doivent aller de pair. Certes, l'un peut être momentanément en avance sur l'autre, mais vouloir les dissocier c'est se condamner à un développement tronqué.

Chapitre II

CONCEPTION DES SERVOMÉCANISMES : LES PRÉALABLES

I. — Problème général de la synthèse

Qu'est-ce que concevoir un servomécanisme ? C'est, étant donné le processus à commander, qu'il s'agisse d'un avion, d'un satellite, d'une raffinerie... ou tout simplement d'un moteur, et ayant défini les performances à atteindre compte tenu de la tâche à accomplir et du domaine d'utilisation prévu, définir la structure de la chaîne de commande et les caractéristiques de ses divers constituants.

Cette synthèse peut être évidemment plus ou moins large selon la façon dont le problème est posé et selon le nombre d'éléments imposés de la chaîne. Elle peut se réduire à la détermination et au réglage du seul réseau correcteur dans les cas simples.

Plus souvent elle comprendra également l'adaptation des organes de puissance... Mais elle peut aussi bien comprendre la définition même de la structure de la chaîne, avec ses boucles superposées, amener à concevoir des nouveaux détecteurs, des effecteurs plus performants, voire une modification du processus lui-même.

La synthèse d'un système de commande asservie est en effet un tout. Aucun de ses constituants ne peut être envisagé isolément, indépendamment des autres, car, par suite même de l'existence d'une boucle, toute modification qui lui est apportée réagit sur le comportement de toute la chaîne. C'est sans doute ce qui fait la difficulté et l'intérêt de ces problèmes. C'est ce qui explique également que, le plus souvent, la réalisation d'une bonne chaîne de commande supposera de nombreux essais et de nombreuses retouches.

Quoi qu'il en soit, avant de chercher à résoudre un problème encore faut-il qu'il soit posé correctement.

II. — Performances

Cela suppose d'abord, et avant tout, qu'on puisse définir les performances à atteindre. Cette banale évidence n'est pas sans poser des problèmes dès lors qu'il faut passer d'un jugement qualitatif à un critère véritablement exploitable, donc chiffrable. Nous aurons l'occasion d'y revenir à propos des problèmes de commande optimale au chapitre VI où la question prend une acuité extrême. Pour l'instant on se limitera aux critères classiques, à la fois simples et généraux.

Une première exigence est celle de la *précision*. Le but d'un servomécanisme est d'asservir une grandeur de sortie à une grandeur d'entrée, quelles que soient les perturbations et les variations de l'entrée. On conçoit cependant qu'il ne soit pas possible d'assurer à tout instant l'égalité entre sortie et entrée. Bien plus, on peut même dire qu'une erreur est nécessaire puisque, par principe, la commande se fait en fonction de l'écart et nier

TABLEAU 1

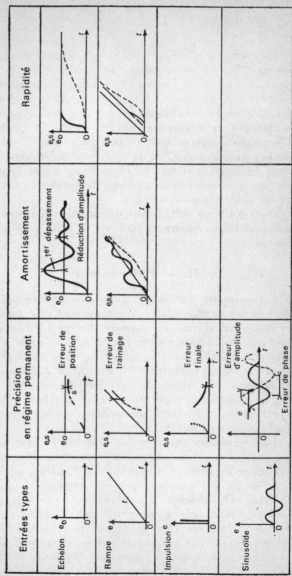

une erreur reviendrait à nier toute possibilité d'action. On conçoit également que l'erreur est fonction du type d'entrée (il sera plus facile, par exemple, de commander une grandeur constante qu'une grandeur variant rapidement et d'une manière désordonnée) et que, pour une entrée donnée, elle puisse varier en fonction du temps (selon, grossièrement parlant, que le système a eu ou non le temps de réagir).

C'est pour préciser ces notions que l'on a été amené à définir un certain nombre d'entrées types, par rapport auxquelles on pourra évaluer les performances d'un système sur le plan de la précision, tant en régime transitoire qu'en régime permanent, et qui sont données dans la première colonne du tableau 1.

Lorsqu'un système est soumis à une de ces entrées, on constate qu'après un certain temps (qui est *grosso modo* le temps mis par le système pour réagir) la sortie prend une allure du même type (constante, en rampe ou oscillante). C'est ce qu'on appelle le régime permanent, l'évolution antérieure caractérisant le régime transitoire.

En ce qui concerne la *précision*, l'erreur est généralement évaluée en régime permanent et il y a intérêt à ce qu'elle soit la plus faible possible. Lorsque sans être nulle elle est constante, on dira qu'on a une erreur de position pour une entrée en échelon et une erreur de traînage pour une entrée en vitesse. Pour une entrée sinusoïdale l'erreur peut être caractérisée par le déphasage et l'amplitude du signal de sortie par rapport à ceux de l'entrée. Tous ces éléments sont définis dans la deuxième colonne du tableau 1.

La précision n'est pas un critère suffisant. Un système de commande sera sûrement jugé inacceptable si, l'erreur finale étant faible, voire nulle, le régime transitoire se caractérise par un mouvement oscillant, de plus ou moins grande amplitude, et qui ne s'amortit que très faiblement. On imagine mal la satisfaction d'un pilote qui aurait fait équiper son avion d'un pilote automatique et qui, voulant passer d'une altitude de 1 000 à 2 000 m, n'y arriverait qu'après une série de montagnes « russes » au cours desquelles successivement il frôle les pâquerettes et manque de s'asphyxier en altitude ! Autrement dit un système de commande devra être correctement *amorti*. Cet amortissement peut s'évaluer par la décroissance d'amplitude de deux oscillations successives ou par l'amplitude du premier dépassement (cf. colonne 3 du tableau 1).

Un troisième critère à faire intervenir est celui de la *rapidité*. Car un système de commande, tout comme un appareil de mesure, doit être, non seulement précis et amorti, il doit être en plus suffisamment rapide.

Ces trois critères doivent toujours être présents à l'esprit lors de la conception d'un système de commande. Sans doute donnera-t-on souvent une importance plus particulière à l'un d'entre eux sur les autres ; tout ceci est cas d'espèce. Parfois, on pourra tolérer un système relativement lent mais très précis comme dans certaines manœuvres de rendez-vous ; dans d'autres cas, on préférera un système très rapide aux dépens de l'amortissement. Du reste, le plus souvent, comme on le verra plus loin, l'automaticien devra souvent faire des compromis car les exigences de précision, de rapidité, d'amortissement se révèlent contradictoires.

On discutera plus longuement de ce point au chapitre VI. Le plus important est sans doute de fixer à leur juste mesure les performances qu'il faut exiger d'un servomécanisme, car, en ce domaine comme dans d'autres, toute amélioration des performances au-delà de ce qui est nécessaire coûte inutilement cher, sur le plan des études et plus encore sur celui de la réalisation (1).

III. — Connaissance du système

Il faut ensuite qu'on connaisse le processus à commander, et par là il faut entendre la possibilité de le représenter mathématiquement. Le problème est de taille et, paradoxalement, si on dispose aujourd'hui de nombreuses méthodes permettant de synthétiser un système de commande dès lors que le processus a été amené à une représentation correcte, l'obtention de ce modèle reste le plus souvent une difficulté majeure.

L'obtention d'un modèle peut être envisagée selon les cas de deux façons :

La première que l'on pourrait qualifier d'interne, consiste, dans le cas où on peut avoir une bonne connaissance de la structure physique du système, à analyser les diverses parties et les phénomènes qui peuvent s'y passer. L'application des lois de la physique permet alors théoriquement d'obtenir un ensemble d'équations, algébriques, différentielles ou aux dérivées partielles, qui traduit son comportement et peut servir de modèle.

La deuxième, qui est d'ordre externe, consiste, à dessein ou par nécessité, à considérer le système comme une « boîte noire » dont les propriétés ne

(1) Là encore il semble que cela aille de soi, d'autant que l'extra-prix payé est d'autant plus fort que les performances nécessaires sont elles-mêmes plus élevées. On est bien obligé de constater que ce n'est pas toujours le cas dans les grands projets. La raison doit sans doute en être cherchée dans un principe beaucoup plus vieux que celui de Parkinson ou de Peter, connu sous le nom de principe du parapluie.

peuvent être déduites que par l'analyse de son comportement, c'est-à-dire de sa réponse sous l'action de certaines entrées. C'est de ces relations entrée-sortie que le modèle sera déduit.

De toute façon, qu'il s'agisse de la première ou de la deuxième méthode, il importe de ne pas oublier que l'obtention d'un modèle n'est pas une fin en soi mais un moyen, que le seul et unique but de l'automatisation est de concevoir un système de commande qui permette le plus économiquement possible de satisfaire les performances exigées, et que c'est en fonction de la réalisation de ce but que le modèle sera jugé en définitive.

C'est ce qui explique que le problème de l'identification ne peut valablement être envisagé qu'une fois les performances à obtenir précisément définies et qu'il ne saurait être question de représenter de la même façon un processus complexe selon que le problème posé consiste à réaliser un régulateur assurant un amortissement convenable ou au contraire un système de commande optimale.

On reviendra sur ce problème au chapitre VII. Qu'on n'en mésestime cependant pas l'importance ! L'identification n'est pas seulement un préalable à la conception d'un servomécanisme. C'est souvent la phase la plus longue, la plus onéreuse ; c'est presque toujours celle qui demande le plus de savoir-faire et, nous dirions presque, d'art.

DEUXIÈME PARTIE

LES MÉTHODES

CHAPITRE III

LES MÉTHODES FRÉQUENTIELLES

L'étude des servomécanismes peut être envisagée, comme cela a été suggéré dans le bref historique qui a été fait au chapitre Ier, de deux manières différentes : soit dans une optique fréquentielle, soit dans une optique temporelle.

L'optique fréquentielle a longtemps, et pourrait-on dire d'une manière quasi exclusive, prévalu. S'il y a à cela des raisons historiques, elles ne sauraient tout expliquer. L'extension qu'ont prises en leur temps les méthodes fréquentielles, l'utilisation si grande qui en fut faite et qu'on continue toujours de faire dans la plupart des domaines, trouvent leurs véritables raisons dans leur simplicité et leur commodité. Ces méthodes, dont l'outil de base est la fonction de transfert (ou ce qui revient au même le lieu de transfert), permettent en effet de résoudre, par des méthodes algébriques ou graphiques simples, nombre de problèmes de commande classique.

Nous commencerons donc par elles.

I. — La fonction de transfert

Considérons le système représenté figure 8. Il est constitué d'une partie électrique : un moteur à commande d'inducteur dont l'induit est parcouru par une intensité constante et l'inducteur alimenté par la tension de commande v ; une partie mécanique, constituée par une charge d'inertie $\mathcal{I}$, de frottement visqueux f et de raideur r, entraînée directement par le moteur. On suppose pour simplifier que l'inertie et les frottements de l'induit du moteur sont négligeables devant ceux de la charge.

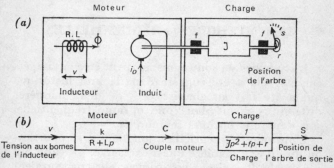

Fig. 8. — Système physique
et représentation par schéma fonctionnel

Le comportement d'un tel système peut être facilement traduit sous forme mathématique en écrivant les équations de la mécanique et de l'électricité.

En ce qui concerne la partie mécanique on écrit que le couple c, fourni par le moteur, équilibre l'ensemble des couples d'inertie, de frottement et de rappel, *i. e.* :

$$c = \mathcal{I}\,\frac{d^2 s}{dt^2} + f\,\frac{ds}{dt} + rs \qquad (1)$$

En ce qui concerne la partie électrique on écrit que le couple est proportionnel au flux inducteur, donc au courant qui le traverse :

$$c = ki \qquad (2)$$

l'intensité i étant donnée par la loi d'Ohm :

$$v = Ri + L \frac{di}{dt} \qquad (3)$$

Dans le schéma fonctionnel du système on retrouve les deux parties : le moteur (entrée v, sortie c), la charge (entrée c, sortie s), les relations entrée-sortie étant définies par les équations 1 à 3.

Si on désire avoir la relation directe entre la tension de commande v et la position s de la charge il suffit d'éliminer dans les équations les variables intermédiaires i et c.

On peut par exemple dériver l'équation (1) par rapport au temps, puis y substituer les valeurs de di/dt et de i données par (3) et (2). On a ainsi :

$$\mathcal{I} \frac{d^3 s}{dt^3} + f \frac{d^2 s}{dt^2} + r \frac{ds}{dt} = \frac{dc}{dt} = k \frac{di}{dt} = \frac{k}{L} (v - Ri)$$

$$= \frac{k}{L} v - \frac{R}{L} \left(\mathcal{I} \frac{d^2 s}{dt^2} + f \frac{ds}{dt} + rs \right)$$

ou en regroupant les termes :

$$\mathcal{I} \frac{d^3 s}{dt^3} + \left(f + \frac{R\mathcal{I}}{L} \right) \frac{d^2 s}{dt^2} + \left(r + \frac{Rf}{L} \right) \frac{ds}{dt} + \frac{R}{L} rs = \frac{k}{L} v \qquad (4)$$

Si on applique aux bornes de l'inducteur une tension v variant dans le temps d'une façon connue, la résolution de cette équation différentielle linéaire du troisième ordre permet de connaître la variation temporelle de la sortie.

L'élimination des variables intermédiaires et la résolution de cette équation peuvent être considérablement simplifiées si on remplace formellement l'opérateur de dérivation d/dt par le symbole p.

Supposons en effet que dans les équations précédentes on remplace d/dt par p, d^2/dt^2 par p^2... Les équations du moteur s'écrivent alors :

$$C = kI \qquad V = (R + Lp)I \qquad i.\,e. \qquad \frac{C}{V} = \frac{k}{R + Lp} \qquad (5)$$

et celle de la partie mécanique :

$$C = (\mathcal{I}p^2 + fp + r) S \qquad i.\,e. \qquad \frac{S}{C} = \frac{1}{\mathcal{I}p^2 + fp + r} \qquad (6)$$

Les expressions 5 et 6 qui caractérisent complètement les propriétés, tant dynamiques que statiques, du système sont ce qu'on appelle les *fonctions de transfert* (ou transmittances)

TABLEAU 2. — Transformées de Laplace usuelles

Fonction symbole	Allure	Transformée de Laplace
Impulsion : $\delta(t)$		1
Echelon : $u(t)$		$1/p$
Rampe : $tu(t)$		$1/p^2$
Entrée parabolique $t^2\,u(t)$		$2/p^3$
Exponentielle e^{-at}		$1/p + a$
te^{-at}		$1/(p + a)^2$
Sinusoïde : $\sin \omega t$		$\dfrac{\omega}{p^2 + \omega^2}$
Cosinusoïde : $\cos \omega t$		$\dfrac{p}{p^2 + \omega^2}$
Cosinusoïde amortie $e^{-at} \cos \omega t$		$\dfrac{p + a}{(p + a)^2 + \omega^2}$
Retard $u(t\text{-}\tau)$		$\dfrac{1}{p}\,e^{-\tau p}$
$f(t-\tau)$		$F(p)e^{-\tau p}$

du moteur et de la charge ; ce sont ces fonctions que l'on fait apparaître à l'intérieur des blocs du schéma fonctionnel comme le montre la figure 8 *b)*.

L'élimination de la variable intermédiaire peut se faire directement grâce à ces fonctions de transfert :

$$\frac{S}{V} = \frac{S}{C} \times \frac{C}{V} = \frac{k}{(\mathscr{I}p^2 + fp + r)(R + Lp)}$$

$$= \frac{k}{\mathscr{I}Lp^3 + p^2(R\mathscr{I} + fL) + p(rL + Rf) + rR} \quad (7)$$

On obtient le même résultat qu'en (4) mais beaucoup plus aisément puisque des opérations sur les équations différentielles ont été remplacées par de simples opérations algébriques. Il apparaît également que la fonction de transfert globale de deux systèmes en cascade de fonctions F1 et F2 est égale au produit F1 F2 (1).

On notera que :

— **La notion de fonction de transfert ne s'applique qu'à des systèmes linéaires invariants, c'est-à-dire à des systèmes décrits par des équations linéaires, différentielles à coefficients constants.**

— **La fonction de transfert est une relation entrée-sortie fréquentielle. Elle ne relie pas des valeurs instantanées, c'est-à-dire les fonctions temporelles d'entrée et de sortie, mais leurs *transformées de Laplace* (2).**

(1) Si au lieu d'être en cascade les deux fonctions F1 et F2 sont en parallèle, les signaux de sortie s'additionnant, la fonction de transfert résultante est F1 + F2.

(2) La « transformation » en question consiste à associer à toute fonction du temps $f(t)$, nulle pour t négatif, une fonction de la variable p, que l'on a l'habitude de noter :

$$F(p) = \mathscr{L}f(t).$$

(C'est pour cette raison que dans les équations 5 et 6 on a des lettres majuscules ; C par exemple est la transformée de c.)

La transformée de Laplace peut théoriquement se calculer à partir de la relation :

$$F(p) = \int_0^\infty e^{-pt} f(t)\, dt$$

mais le plus souvent l'utilisation de tableaux de correspondance comme celui donné tableau 2 suffira à passer de l'expression temporelle à l'expression en p et *vice versa*.

Physiquement la fonction de transfert peut s'interpréter de deux façons différentes :

— Si on remarque que la transformée de Laplace d'une impulsion est égale à 1 (première ligne du tableau), on constate que la fonction de transfert d'un système n'est rien d'autre que la transformée de Laplace de sa réponse impulsionnelle.

— Si on excite un système de fonction de transfert $F(p)$ par une entrée sinusoïdale $e = e_0 \sin \omega t$, la sortie du système en régime permanent est également sinusoïdale à la même fréquence. Elle se fait toutefois à une amplitude différente de celle de l'entrée, et est déphasée (en général en retard) sur elle. Le rapport d'amplitude s_0/e_0 et le déphasage φ, qui ne sont fonction que de la fréquence de l'excitation, peuvent être liés très simplement à la fonction de transfert. De fait, ils sont respectivement égaux au module et à la phase de $F(p)$ calculés en faisant $p = j\omega$.

Les courbes donnant la variation du module et de la phase de $F(p)$ en fonction de ω sont appelées courbe d'amplitude et courbe de phase. Elles sont caractéristiques du système. Le rapport d'amplitude est souvent exprimé en décibels (la valeur en dB est égale à 20 fois le logarithme) ; quant à l'échelle de fréquence elle est presque toujours logarithmique.

II. — Systèmes du premier et du second ordre

Pour une meilleure compréhension et afin de faciliter l'utilisation d'abaques, on a l'habitude de « normaliser » l'écriture des fonctions de transfert. C'est ainsi qu'on écrira l'expression (5) sous la forme :

$$\frac{C}{I} = \frac{K}{1 + Tp}$$

en posant : $K = k/R$ $T = L/R$, K définit le gain statique du système (1). Cela veut dire que dans les unités choisies la sortie en régime permanent pour une entrée en échelon sera égale à K fois l'entrée. Quant au paramètre T, ou *constante de temps*, il caractérise la rapidité du système. Pour une entrée en échelon e_0, la sortie, qui est définie mathématiquement comme l'exponentielle $Ke_0(1 - e^{-t/T})$, n'atteint en théorie sa valeur finale qu'au bout d'un temps infini. La rapidité de la réponse n'est donc pas définie par le temps au bout duquel le système a complètement répondu, mais soit par le temps pour que le système réponde à 66 % qui est égal à T, soit par le temps où il a répondu à 95 % qui est égal à 3T.

Dans le cas d'une entrée en rampe, pour un système de gain unité, T caractérise l'erreur de traînage qui lui est proportionnelle. La figure 9 schématise ces résultats. On y a également indiqué l'allure des courbes de phase et d'amplitude, avec les points caractéristiques.

De la même façon, une fonction de transfert du second ordre, comme celle trouvée en (6), est normalisée sous la forme :

$$\frac{K}{1 + \dfrac{2\,\delta}{\omega_n}p + \dfrac{p^2}{\omega_n^2}}$$

K est le gain statique et a la même interprétation que pour un système du premier ordre. δ caractérise *l'amortissement*, c'est-à-dire l'absence ou la présence

(1) Une telle fonction est dite du premier ordre. D'une manière générale une fonction de transfert sera dite d'ordre n si le degré du polynome en p qui figure au dénominateur et qui est nécessairement supérieur, ou égal, au degré du numérateur, est d'ordre n.

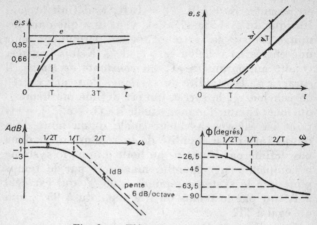

Fig. 9. — Eléments caractéristiques
d'une fonction de transfert du premier ordre

d'oscillations dans la réponse, le taux de décroissance des oscillations quand elles existent, l'importance du premier dépassement dans le cas d'une
réponse à un échelon. C'est ainsi que si δ est supérieur à 1 aucune oscillation n'apparaîtra. Si δ est
compris entre 1 et 0,7, les oscillations sont si
faibles qu'on considère pratiquement qu'elles n'existent pas. Par contre, dès que δ est inférieur à 0,5,
les oscillations sont marquées, et d'autant plus que
δ est faible.

Quant à ω_n il caractérise la rapidité de la réponse.
Si deux systèmes ont le même amortissement et
des *pulsations propres* (c'est ainsi qu'on appelle ω_n)
dans un rapport double l'un de l'autre, celui qui
aura la plus grande répondra deux fois plus vite
que l'autre.

Ces quelques indications n'ont eu pour but que
de montrer combien la seule donnée de la fonction

de transfert peut permettre d'évaluer très rapidement le comportement d'un système et de connaître les paramètres sur lesquels il faut, le cas échéant, agir.

Considérons à nouveau le cas du moteur électrique considéré plus haut dont on a vu qu'il pouvait être représenté par une fonction de transfert du premier ordre. La constante de temps est égale à L/R. On voit tout l'intérêt qu'il y a, si on veut que le moteur réponde rapidement, à diminuer l'inductance de l'inducteur. C'est en particulier la raison pour laquelle les moteurs de ce type utilisés dans les servomécanismes, où on leur demande des performances élevées, sont réalisés avec des inducteurs feuilletés.

Deux autres notions fondamentales s'attachent à celle de fonction de transfert : l'une concerne la notion de *mode*, l'autre la représentation d'une fonction de transfert par un *lieu de transfert*.

III. — Lieux de transfert

Il est possible de rassembler les informations données par la courbe d'amplitude et la courbe de phase en un seul graphique, appelé lieu de transfert, en faisant correspondre à chaque pulsation ω un point du plan dont la position est liée à la valeur prise par la fonction de transfert lorsqu'on fait $p = j\omega$.

Ce lieu, qui est gradué en ω, est un outil fondamental dans l'étude des servomécanismes linéaires. Il contient autant d'information que la fonction de transfert qu'il peut donc remplacer et par là même il permettra de substituer à des calculs algébriques de simples constructions graphiques. Ainsi on a successivement ramené l'étude d'une équation différentielle linéaire, d'abord à celle d'un opérateur algébrique, ensuite à celle d'une courbe.

Selon la manière dont on relie un point du lieu à l'amplitude et à la phase de la fonction de transfert, on dira qu'on a affaire à un lieu de Nyquist ou à un lieu de Black. Dans le premier cas, le lieu est tracé en coordonnées polaires : le rayon polaire OM (*i. e.* la distance du point M à l'origine des coordonnées) est égal au module, l'angle polaire (*i. e.* l'angle que fait OM avec l'axe des abscisses) est égal à la phase (1). Dans le second cas, le lieu

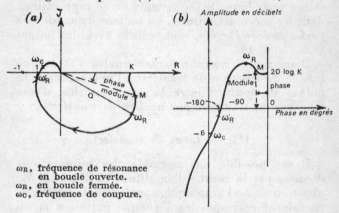

ω_R, fréquence de résonance
      en boucle ouverte.
ω_R, en boucle fermée.
ω_C, fréquence de coupure.

Fig. 10. — Lieux de transfert :
a) dans le plan de Nyquist ; *b)* dans le plan de Black

est tracé dans les coordonnées rectangulaires où l'abscisse est égale à la phase exprimée en degrés, l'ordonnée au module exprimé en décibels (cf. fig. 10).

(1) On obtient de toute évidence le même lieu si on repère M dans les coordonnées rectangulaires en portant en abscisse la partie réelle et en ordonnée la partie imaginaire de F($j\omega$).

Ce dernier type de représentation est particulièrement intéressant en pratique car il facilite énormément la construction des lieux de transfert lorsque la fonction de transfert peut être considérée comme le produit de fonctions de transfert élémentaires. L'utilisation d'une échelle logarithmique permet en effet de remplacer les opérations de multiplication par des opérations d'addition.

La figure 10 représente le lieu de transfert typique d'un système du second ordre peu amorti dans les deux représentations, où on fait apparaître les caractéristiques importantes qui se généralisent quel que soit l'ordre du système :

— le gain statique, c'est-à-dire le gain à la fréquence nulle ;

— la fréquence de résonance ω_R, qui est la fréquence où l'amplitude de la fonction de transfert est maximale, et le coefficient de surtension (ou facteur de résonance) Q. Q caractérise l'amortissement du système, ω_R sa rapidité ;

— la fréquence de coupure ω_C à α décibels qui est la fréquence à laquelle l'atténuation est supérieure à α dB (*i. e.* l'amplitude de sortie inférieure à $e^{0.05}$). Elle caractérise la bande passante du système. Les signaux à une pulsation inférieure à ω_C seront bien transmis. Ceux à des fréquences supérieures seront au contraire étouffés, et d'autant plus que leur fréquence sera plus élevée.

IV. — Notions de mode

On a dit précédemment que lorsqu'on excitait un système linéaire par une certaine entrée on pouvait distinguer dans la réponse deux types de fonctionnement, le régime transitoire et le régime permanent. Si le régime permanent est imposé par l'entrée (du moins dans le cas des systèmes stables), le régime transitoire est, quant à lui, caractéristique du seul système.

On peut, par exemple, l'observer en dehors de toute entrée en laissant le système évoluer librement après l'avoir déplacé de sa position d'équilibre.

Dans la mesure où la fonction de transfert caractérise le système il est important de pouvoir prévoir, à partir de sa seule inspection, les divers types de transitoires auxquels il peut donner naissance.

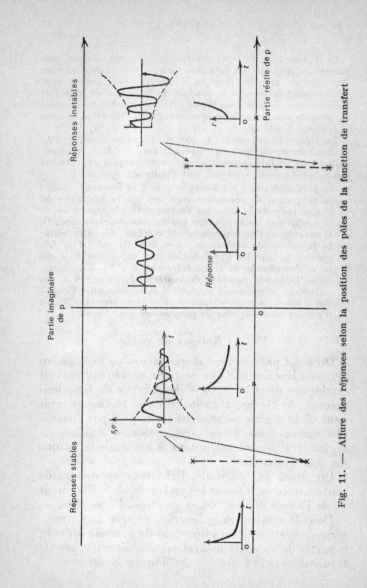

Fig. 11. — Allure des réponses selon la position des pôles de la fonction de transfert

Le tableau des transformées de Laplace donné page 36 et la notion de modes vont le permettre aisément.

On a vu que la fonction de transfert était une fraction rationnelle de la variable de Laplace p, c'est-à-dire une fraction dont le numérateur et le dénominateur sont des polynômes en p ; si on ajoute à ceci, d'une part que le degré du numérateur est inférieur à celui du dénominateur, d'autre part que les coefficients sont réels (c'est-à-dire que les racines du dénominateur sont soit réelles, soit apparaissent par paires imaginaires conjuguées) on pourra toujours développer la fonction de transfert $F(p)$ en éléments simples sous la forme :

$$F(p) = \Sigma \frac{A}{p - \alpha} + \Sigma \frac{Bp + C}{(p - a)^2 + b^2} \cdot$$

D'après le tableau I, la transformée inverse (qui est la réponse temporelle du système soumis à une impulsion par exemple) est de la forme :

$$f(t) = \Sigma A e^{\alpha t} + \Sigma D e^{at} \cos(bt + \varphi).$$

On peut donc, selon la nature des racines du dénominateur de la fonction de transfert, que l'on appelle des pôles, tirer les conclusions suivantes :

— à un pôle réel correspond une réponse exponentielle, amortie et tendant vers zéro si le pôle est négatif, divergente si le pôle est positif ;
— à une paire de pôles complexes conjugués correspond une réponse oscillatoire ; convergente si la partie réelle est négative, divergente si elle est positive, et entretenue si elle est nulle.

Autrement dit le signe de la partie réelle d'un ou d'une paire de pôles caractérise la stabilité du système (c'est-à-dire son aptitude à revenir à sa position d'équilibre quand on l'en écarte) (cf. fig. 11).

V. — Fonctions et lieux de transfert des systèmes bouclés

Bien que tout ce qui vient d'être dit dans les paragraphes précédents soit valable quelle que soit la nature de la fonction de transfert on a, malgré tout, supposé implicitement qu'on avait affaire à un système en boucle ouverte.

Envisageons maintenant les problèmes plus particuliers liés au fait que, dans un servomécanisme, le véritable signal de commande est l'écart.

Le système de la figure 8 a) peut être facilement transformé en un système asservi si au moyen d'un détecteur potentiométrique on mesure la position de l'arbre de sortie et qu'on la compare à la position désirée. Il suffit d'imaginer par exemple que l'arbre de sortie entraîne dans sa rotation le curseur C_2 d'un potentiomètre P_2, pour qu'on puisse générer une tension proportionnelle à la sortie. Si de plus, comme le montre la figure 12, le curseur C_1 d'un potentiomètre identique P_1 est déplacé selon la valeur de la commande affichée, on recueille aux bornes de la résistance R montée entre les deux curseurs une tension v_1 proportionnelle à l'écart angulaire $(e - s)$. Le montage assure donc à la fois les fonctions du détecteur et du comparateur. C'est la tension v_1 qui, après amplification dans l'amplificateur A, est appliquée aux bornes de l'inducteur du moteur.

Aux équations (1) à (3) définissant le système en boucle ouverte il faut donc ajouter les équations :

$$v = K_A v_1$$
$$v_1 = k_1(e - s)$$

où K_A représente le gain de l'amplificateur en tension et k_1 un facteur de conversion de degrés en volts dépendant du détecteur potentiométrique choisi.

Le schéma fonctionnel complet du servomécanisme est indiqué à la figure 12 b) dont on déduit facilement la fonction de transfert du servomécanisme (en boucle fermée) S/E en écrivant que :

$$S/\varepsilon = KG(p)$$

avec :

$$K = K_1 K_2 k_1 K_A \qquad G(p) = \frac{1}{1 + Tp} \times \frac{1}{1 + 2\dfrac{\delta}{\omega_n} p + \dfrac{p^2}{\omega_n^2}}$$

et : $\varepsilon = E - S$, d'où, en éliminant ε :

$$\frac{S}{E} = \frac{KG(p)}{1 + KG(p)} \qquad (8)$$

$$\frac{\varepsilon}{E} = \frac{1}{1 + KG(p)} \qquad (9)$$

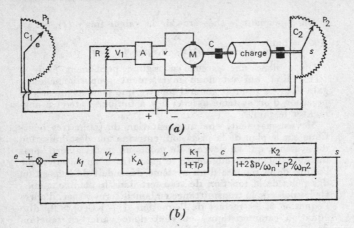

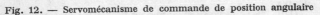

Fig. 12. — Servomécanisme de commande de position angulaire

La fonction de transfert en boucle fermée (S/E) est donc reliée de manière simple à la fonction de transfert en boucle ouverte S/ε. Cette remarque sera évidemment exploitée pour faciliter les procédures de synthèse.

En attendant, essayons de voir quelles sont les performances de ce servomécanisme simple et en particulier comment ces performances évoluent selon le gain K_A que l'on suppose être le seul paramètre variable à notre disposition, tous les autres étant imposés par la technologie du système.

Pour simplifier nous supposons (bien que ces valeurs soient peu réalistes) que $K_1 = K_2 = k_1 = 1$, $T = 1$ sec, $\delta = 0.9$ et $\omega = 2$.

On a dans ces conditions :

$$\frac{S}{\varepsilon} = \frac{K_A}{(1 + p)(1 + 0.9\,p + 0.25\,p^2)}$$

d'où : $\dfrac{S}{E} = \dfrac{K_A}{K_A + (1 + p)(1 + 0.9\,p + 0.25\,p^2)}$.

Supposons par exemple que nous appliquions au système un échelon de position, e_0, et cherchons d'abord à évaluer le comportement du système en régime permanent, c'est-à-dire aux temps très grands.

En appliquant le théorème de la valeur finale (1), on a :

$$s(\infty) = \underset{p \to 0}{\text{limite}} \ \frac{K_A}{K_A + (1+p)(1+0.9\,p + 0.25\,p^2)} \times \frac{e_0}{p} = \frac{K_A}{1 + K_A}.$$

On a donc une erreur en régime permanent égale à $1/(1 + K_A)$ qui est donc inversement proportionnelle au gain K_A. Ce résultat général montre que pour augmenter la précision d'un système asservi il y a toujours intérêt à augmenter le gain.

Malheureusement, une augmentation du gain, très bénéfique sur le plan de la précision, entraîne une déstabilisation du système, qui va devenir de moins en moins amorti, puis instable, lorsqu'on augmente le gain. On a vu en effet que l'allure de la réponse d'un système dépendait de la position des pôles de la fonction de transfert dans le plan complexe. Or les pôles de la transmittance en boucle fermée sont, d'après l'équation 8, les racines de l'équation $1 + KG(p) = 0$, dite équation caractéristique, et vont donc varier en fonction de K_A.

Dans le cas de notre exemple, où l'équation caractéristique s'écrit :

$$K_A + (1+p)(1 + 0.9\,p + 0.25\,p^2) = 0$$

la figure 13 schématise, dans le plan de la variable (1) complexe, la variation des trois racines de cette équation du troisième degré, le sens des flèches indiquant le sens de parcours pour des valeurs croissantes de K_A.

Sur cette figure (qui est un « lieu d'Evans »), on voit que lorsqu'on augmente le gain les deux modes du système en boucle ouverte évoluent de la façon suivante : le mode exponentiel stable en boucle ouverte (correspondant à la racine réelle négative) reste stable. La valeur absolue de cette racine augmentant il s'amortit même de plus en plus vite. Par contre le mode oscillant (correspondant à la

---

(1) Le « théorème de la valeur » finale dit que si une fonction $f(t)$ a pour transformée de Laplace $F(p)$ la valeur de la fonction au temps infini est égale à la limite de l'expression $pF(p)$ lorsqu'on fait tendre p vers zéro :

$$f(\infty) = \lim_{p \to 0} pF(p).$$

(1) C'est-à-dire le plan de coordonnées rectangulaires où en abscisse on porte la partie réelle de p et en ordonnée la partie imaginaire.

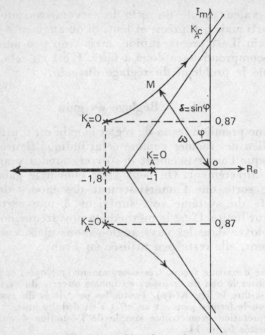

Fig. 13. — Lieu des racines
montrant l'évolution des modes en fonction du gain

paire de racines complexes conjuguées) se désamortit tout en devenant de plus en plus rapide. L'allure du lieu montre en effet que la distance OM (égale à ω) augmente, alors que l'angle φ (lié à l'amortissement par la relation $\delta = \sin \varphi$) diminue. Bien plus, si K_A dépasse une valeur limite K_{A_c}, correspondant à l'intersection du lieu avec l'axe imaginaire $x = 0$, le système devient instable.

Ces effets contraires du gain sur la précision et la stabilité constituent ce qu'on a souvent coutume d'appeler le dilemme *stabilité précision*. Si on choisit une valeur faible du gain le servomécanisme est amorti mais peu précis et lent. Si on augmente trop le gain il est précis, rapide, mais trop peu amorti. Un compromis sera donc à faire. C'est en cela que réside le problème du réglage du gain.

VI. — Réglage du gain

Une première façon de régler le gain est d'utiliser un lieu des racines comme celui indiqué figure 13, puisque l'amortissement des divers modes y apparaît directement. On peut alors choisir le gain de telle sorte que l'amortissement des modes dominants du système soit supérieur à une certaine valeur limite. C'est la méthode la plus fréquemment employée dans les pays anglo-saxons mais, curieusement, elle reste peu utilisée en France.

Une deuxième façon, très couramment employée, consiste à utiliser le lieu de transfert en boucle ouverte du système, c'est-à-dire le lieu KG(p). Toutes les propriétés du système en boucle fermée peuvent en effet s'en déduire grâce à une interprétation géométrique simple de l'équation 8 qui est explicitée figure 14.

Soit L_1 le lieu de transfert KG et sur ce lieu le point M de pulsation ω. Le point correspondant M' du lieu en boucle fermée peut être facilement trouvé si on récrit l'équation 8 sous la forme :

$$\frac{KG(p)}{1 + KG(p)} = \frac{KG(p)}{KG(p) - (-1)} = H(p).$$

On a en effet, vectoriellement, si A est le point d'affixe — 1,

$$\overrightarrow{OM'} = \frac{\overrightarrow{OM}}{\overrightarrow{OM} - \overrightarrow{OA}} = \frac{\overrightarrow{OM}}{\overrightarrow{AM}} \tag{10}$$

Le point M' est donc, d'une part sur le cercle centré en O de rayon OM/AM (relation des modules), d'autre part sur la droite Δ faisant avec OX un angle égal à l'angle orienté (MA, MO).

En fait les relations précédentes sont utilisées non pas pour tracer le lieu de transfert en boucle fermée mais pour raisonner directement sur le lieu de transfert en boucle ouverte.

Cherchons par exemple à déterminer directement à partir de KG(p) la fréquence de résonance, la surtension et la fréquence de coupure du système en boucle fermée.

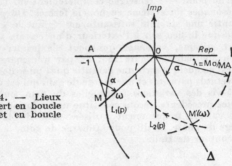

Fig. 14. — Lieux de transfert en boucle ouverte et en boucle fermée.

La fréquence de résonance a été définie comme la fréquence à laquelle le module de la fonction de transfert est maximal. En boucle fermée elle se produira donc au point M′ tel que OM′ est maximum, ou, d'après la relation (10) à la fréquence ω telle que le rapport OM/AM soit maximum. Les points O et A étant fixes, les lieux des points M tels que le rapport des distances OM/AM est égal à une constante λ est constitué par un faisceau de cercles de points limites O et A. Si on dispose donc d'une abaque sur laquelle on a tracé ces cercles (1) pour divers rapports OM/AM = λ il suffira de lire auquel de ces cercles le lieu de transfert en boucle ouverte vient tangenter. Le paramètre λ de ce cercle donne la surtension, la pulsation indiquée sur le lieu KG au point de tangence la fréquence de résonance (2). Plus le coefficient de surtension est grand, moins le système est amorti. A la limite, si le lieu en boucle ouverte passe par le point A, AM est nul et la surtension infinie. C'est la raison pour laquelle on appelle ce point le point critique. On montre de plus que si, lorsqu'on

(1) Cette abaque est appelée abaque de Hall. De même les cercles considérés sont alors parfois désignés sous le nom de cercles de Hall.
(2) On notera, figure 10, que la fréquence de résonance en boucle fermée est supérieure à celle en boucle ouverte.

parcourt le lieu de transfert en boucle ouverte dans le sens des fréquences croissantes, on laisse le point critique à sa gauche, le système est stable. Si on le laisse à droite, le système est instable. Ce critère, pratiquement toujours applicable, constitue le critère du revers.

Ainsi donc la proximité du lieu de transfert KG par rapport au point — 1 renseigne complètement sur la stabilité et la résonance du système en boucle fermée. On peut donc se garantir une stabilité suffisante en réglant le gain de telle sorte que le lieu soit à l'extérieur d'un certain voisinage du point critique, voisinage qui peut s'exprimer de diverses façons, visualisées figure 15 : ou par une marge de phase, qui est en quelque sorte une garantie que l'on se donne vis-à-vis des retards parasites et une marge de gain qui est une garantie vis-à-vis des variations éventuelles du gain, ou par un des cercles précédents, ce qui constitue une solution synthétique. Des valeurs fréquemment utilisées sont de 40 °C pour la marge de phase, 10 dB pour la marge de gain, $\lambda = 1,3$ pour un contour de Hall.

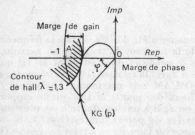

Fig. 15.
Marges de stabilité

De la même façon qu'on a déterminé la fréquence de résonance on peut déterminer sur le lieu en boucle ouverte la fréquence de coupure. Si on définit par exemple la fréquence de coupure à 6 dB par la condition $\left| \dfrac{KG}{1 + KG} \right| > 0,5$ pour $\omega < \omega_c$, ω_c est défini comme la pulsation où le cercle $\lambda = 0,5$ coupe le lieu KG.

Dans la pratique on utilise de préférence le lieu de Black au lieu de Nyquist ; les constructions précédentes se révèlent en effet peu pratiques dans les coordonnées de Nyquist puisque faire varier le gain K revient à déformer le lieu de transfert KG par homothétie de centre O. Dans le plan de

Black au contraire, une variation du gain se traduit par une simple translation du lieu de transfert, parallèlement à l'axe des ordonnées, vers le haut si on augmente le gain, vers le bas si on le diminue, puisque :

logarithme $KG(p)$ = logarithme K + logarithme $G(p)$
phase (KG)   = phase G.

Le réglage du gain se fait alors en translatant le lieu $G(p)$ pour l'amener tangent au contour de Black (correspondant au cercle de Hall) désiré. De la translation faite on déduit immédiatement la valeur du gain à retenir.

VII. — Eléments de compensation

On a vu l'influence du réglage du gain sur les performances d'une chaîne de commande, mais aussi les limitations d'une seule action sur ce paramètre : faible, on a une précision médiocre ; fort, il déstabilise le système. Il en résulte que le plus souvent aucun réglage ne permettra de satisfaire les exigences contraires de précision, de stabilité et de rapidité.

Le réseau correcteur va permettre de rompre ce cercle vicieux. En dépit de leur grande variété on pourra cependant comprendre simplement leur mode d'action (du moins dans le cas des systèmes linéaires continus) en considérant à nouveau ce qui se passe sur les lieux de transfert.

On a représenté figure 16 les lieux de transfert en boucle ouverte d'un même système pour deux valeurs du gain k_1, k_2. Pour le gain k_1 le système est correctement amorti mais peu précis, pour k_2 il est précis mais peu stable. L'idéal serait d'avoir un lieu de transfert coïncidant avec le lieu b) (correspondant à k_2) aux basses fréquences et avec le lieu a) aux fréquences voisines de la fréquence de résonance. On cumulerait ainsi les avantages des deux.

L'obtention d'un tel lieu, marqué c) sur la figure,

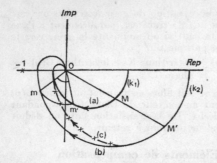

Fig. 16. — Principe de la compensation par modelage des lieux de transfert.

peut être envisagée de deux façons différentes si l'on considère la graduation en fréquences des diverses courbes. On peut partir du lieu *a)* et, à une pulsation donnée, agir sur l'amplitude sans modifier la phase, l'augmentation d'amplitude étant forte aux basses fréquences, faible aux hautes fréquences.

On peut également chercher à partir du lieu *b)* et, dans la zone de la fréquence de résonance, augmenter la phase à amplitude constante. Ainsi dans le premier cas l'homologue d'un point M du lieu *a)* est un point M′ situé sur un même rayon vecteur. Dans le second, l'homologue du point *m* du lieu *b)* est un point *m′* situé sur un arc de cercle centré à l'origine.

Ces deux modes de compensation, très schématisés ici, sont connus respectivement sous les noms de *compensation intégrale* (ou de « contrôle intégral ») et de *compensation dérivée* (ou par avance de phase).

L'idéalisation faite ici mérite quelques commentaires :
— d'abord il n'est pas possible, du moins dans une optique linéaire, de dissocier les effets de phase et d'amplitude. Ces effets sont liés et antagonistes (loi de Bode). Il existe simplement des domaines de fréquence où l'un des effets est prépondérant sur l'autre ;

— selon que l'on désire faire une compensation intégrale ou
dérivée on devra travailler dans des domaines de fréquence
différents. Le compensateur intégral doit être réglé pour
donner son effet dans la zone des basses fréquences, le
compensateur dérivé, dans la zone de la fréquence de
résonance ;

— cet effet de compensation modifie non seulement le lieu
de transfert, il modifie également la graduation en fréquence. On voit sur la figure 17 que la compensation
dérivée, en particulier, entraîne une augmentation de la
fréquence de résonance. C'est ce phénomène qui très souvent limitera pratiquement l'utilisation de ce mode de
compensation car une augmentation de la bande passante
entraîne une sensibilité plus grande du système de commande aux perturbations. A l'inverse du reste, un réseau
intégral aura un effet bénéfique sur les bruits de fond du
système.

L'interprétation physique de l'effet de compensation dérivée est facile à comprendre. Un signal
dérivé est « en avance » de phase sur le signal
original ; il apparaît donc comme une prédiction
dans le temps et permet, en quelque sorte, de
corriger avant qu'il ne soit trop tard. Une petite
illustration fera mieux comprendre cela. La mode
étant aux circuits de petites voitures « téléguidées »,
supposons que le jeu consiste pour le joueur B à
poursuivre la voiture du joueur A à une distance
constante. A, quant à lui, essaye de l'en empêcher
en accélérant ou freinant. Si le « pilote » B commande
son véhicule en fonction du seul écart entre les
voitures il risque fort de faire piètre figure car il
est évident qu'il ne doit pas réagir de la même
façon, pour un même écart, selon qu'il est en train
de rattraper ou de perdre du terrain. (Cet effet est du
reste d'autant plus sensible que l'inertie des véhicules
est plus grande.) Intuitivement il incorporera son
appréciation de la vitesse de rapprochement, au
même titre que celle de l'écart, dans sa manière
de jouer et il fera de la « compensation dérivée ».

C'est cette faculté du cerveau humain à apprécier non seulement une grandeur mais sa dérivée qui fait qu'une boucle fermée par un opérateur humain n'est finalement pas si mauvaise. Quant à la raison de l'entraînement elle doit être cherchée, un peu dans la diminution du temps de réaction (c'est la constante de temps de l'opérateur), beaucoup dans une amélioration des facultés d'appréciation des dérivées. On estime qu'un opérateur bien entraîné peut apprécier la dérivée seconde et même, peut-être, avoir une idée de la dérivée troisième.

Quant à la compensation intégrale on peut comprendre schématiquement son rôle si on réalise qu'un réseau intégral exerce sur les signaux fluc-

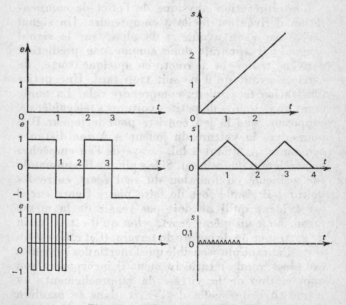

Fig. 17. — Filtrage par intégrateur

tuants un filtrage plus important que sur les signaux
constants. Envisageons le cas de signaux d'erreur,
ayant même amplitude mais dont l'un est constant
et l'autre variable, par exemple en créneaux, comme
le montre la figure 17 où on a envisagé successivement des périodes de 2 secondes et de 0,2 seconde.

Les signaux de sortie obtenus mettent en évidence
qu'un tel réseau a tendance à minimiser l'effet des
signaux variant rapidement pour, au contraire,
sensibiliser la commande aux signaux variant lentement ou, *a fortiori*, constants. On comprend ainsi
en particulier le rôle qu'il joue dans la correction
des erreurs de biais.

VIII. — Réalisation et réglage

Quant à la réalisation des réseaux correcteurs,
s'ils sont parfois mécaniques ou fluidiques, ils
restent le plus souvent électriques. Ils peuvent être
alors constitués, soit par des réseaux passifs, soit
par des réseaux actifs. Dans le premier cas il s'agit
de réseaux du type résistance capacité, comme
celui utilisé en compensation dérivée dont la fonction de transfert est de la forme :

$$\frac{1}{a} \frac{1 + a\tau p}{1 + \tau p}$$

avec a supérieur à 1. Un tel réseau est susceptible
de fournir une avance de phase maximale Φ_M égale
à arc sin $(a - 1)$ $(a + 1)$, à une fréquence ω_m égale
à $1/\tau\sqrt{a}$. Il en résulte une méthode particulièrement
simple de réglage en déterminant a en fonction de
l'avance de phase désirée et τ en fonction de la
fréquence ω_x à laquelle on veut que cet effet maximal se fasse sentir, c'est-à-dire au voisinage de la
fréquence de résonance du système compensé. On

peut par exemple en première approche prendre ω_x égale à la fréquence de résonance du système non compensé et itérer ensuite autour de cette valeur pour tenir compte des effets antagonistes de phase et d'amplitude précédemment mentionnés.

En régulation industrielle on utilise le plus souvent des réseaux actifs, à base d'amplificateurs, qui, à partir d'un signal incident x fournissent un signal de la forme :

$$k_1 x + k_2 \int x \, dt + k_3 \frac{dx}{dt}$$

i. e. une combinaison linéaire de signaux proportionnels au signal incident, à son intégrale et à sa dérivée (1). De tels réseaux, communément appelés P.I.D. (proportionnel, intégral, dérivé), particulièrement rustiques et fiables, sont très utilisés dans la pratique et constituent de fait l'élément essentiel de presque toutes les régulations industrielles. Le réglage des paramètres k_1, k_2, k_3, qui pondèrent les trois types d'action, peut se faire soit par les techniques des lieux de transfert, soit directement par des méthodes algébriques à partir de la fonction de transfert en boucle fermée comme dans la méthode des « polynômes normaux » préconisés par P. Naslin.

Dans un certain nombre de cas il est possible de procéder à une mesure directe de la dérivée d'une grandeur de sortie,

(1) En fait il ne s'agit pas dans ce cas d'un véritable signal dérivé mais, le plus souvent, d'une pseudo-dérivation obtenue par un montage à contre-réaction avec un grand gain en branche directe et une constante de temps en branche de retour. On a en effet :

$$\frac{S}{E} = \frac{K}{1 + \dfrac{K}{1 + \tau p}} = \frac{K}{K+1} \cdot \frac{1 + \tau p}{1 + \dfrac{\tau}{K+1} p}$$

et si K est très grand :

$$\frac{S}{E} \approx 1 + \tau p.$$

évitant ainsi les pseudo-dérivations précédentes. Ce cas se rencontre en particulier dans les asservissements de position des servomoteurs où l'utilisation d'une génératrice tachymétrique permet de recueillir une tension proportionnelle à la vitesse. De la même façon en aéronautique l'utilisation simultanée d'un gyroscope et d'un gyromètre permet d'obtenir un signal proportionnel à la position et à la vitesse angulaire, celle d'un altimètre et d'un variomètre des signaux proportionnels à l'altitude et à la vitesse ascensionnelle. Dans certains cas il est même possible de détecter des dérivées d'ordre plus élevé, comme par exemple une accélération (1).

IX. — Extension aux systèmes non linéaires

Les méthodes harmoniques précédemment développées ont supposé qu'on avait affaire à des systèmes linéaires, c'est-à-dire des systèmes pour lesquels le principe de superposition s'applique. Il ne s'agit là pourtant que d'une vue simplifiée du problème car dans tout système physique apparaissent des non-linéarités. C'est ainsi que les appareils de mesure ont fréquemment un seuil, c'est-à-dire qu'ils se révèlent incapables de mesurer des signaux dont l'amplitude est trop petite. De même un amplificateur n'a un gain constant que dans une certaine plage de fonctionnement au-delà de laquelle il sature et les mécanismes de transmission présentent toujours des jeux. Si le système est conçu pour que tous les organes fonctionnent autour d'un certain point de fonctionnement, il est souvent possible de « linéariser » les équations autour de ce point. Une telle linéarisation devient toutefois impossible si le système opère dans une

---

(1) Malgré les difficultés qui se posent alors, en particulier au niveau des bruits, les progrès technologiques en ce domaine ont été tels que certains de ces détecteurs constituent la pièce maîtresse de certains systèmes de commande comme les systèmes de navigation par inertie.

large plage. Bien plus, certaines non-linéarités comme les relais ne sont pas linéarisables.

Le plus souvent les non-linéarités pourront être caractérisées par leur « caractéristique d'amplitude », courbe traduisant la relation instantanée qui existe entre l'amplitude du signal de sortie et celle de l'entrée, lorsque cette relation est indépendante de la fréquence, ce qui est le cas des non-linéarités usuelles (1).

L'outil remarquable que constituent les méthodes harmoniques dans l'étude des servomécanismes linéaires a amené à chercher s'il n'était pas possible de les adapter à celle des asservissements non linéaires. On va voir que les propriétés de filtrage aux hautes fréquences de la plupart des servomécanismes permettent cette extension dans l'étude de certains phénomènes.

Envisageons en effet un système non linéaire type, comme celui représenté par son schéma fonctionnel figure 18. Il est constitué d'une non-linéarité N définie par sa caractéristique, qu'on suppose symétrique, et d'un organe linéaire L défini par sa fonction de transfert $L(p)$.

Si à l'entrée de la non-linéarité on a un signal sinusoïdal, $x = x_0 \sin \omega t$, le signal de sortie w n'est plus sinusoïdal comme dans le cas linéaire. Il reste cependant périodique, à la période $T = 2\pi/\omega$. Il admet donc un développement en série de Fourier, c'est-à-dire qu'il peut être considéré comme la superposition de signaux aux fréquences ω, 3ω, 5ω... (appelés harmoniques), sous la forme :

$$w = w_1 \sin(\omega t + \varphi_1) + w_3 \sin(3\omega t + \varphi_3) + \ldots$$
$$+ w_n \sin(n\omega t + \varphi_n) \ldots \quad (11)$$

Chacune des composantes de ce signal va être transmise par l'organe linéaire $L(p)$ mais différemment, en amplitude

---

(1) Ce n'est pas toujours le cas et la caractéristique peut dépendre également de la fréquence du signal d'entrée. Les méthodes peuvent se généraliser à ce cas mais perdent de leur intérêt car leur utilisation devient fastidieuse.

et en phase, selon sa fréquence. Si par exemple on écrit la fonction de transfert L(p) sous la forme :

$$L(p) = A(\omega)\, e^{j\Phi(\omega)}$$

en y faisant apparaître le rapport d'amplitude A et la phase Φ, une composante de la forme $w \sin \Omega t$ est transmise à la sortie sous la forme :

$$wA(\Omega) \sin (\Omega t + \Phi(\Omega)).$$

Le signal en sortie du système est donc de la forme :

$$s(t) = w_1\, A(\omega) \sin (\omega t + \varphi_1 + \Phi(\omega))$$
$$+ w_3\, A(3\omega) \sin (3\omega t + \varphi_3 + \Phi(3\omega)) + \ldots$$

On voit combien *a priori* l'étude de la transmission des signaux peut être délicate, puisque la branche de retour va ramener ce signal à l'entrée de la non-linéarité...

La situation se simplifie considérablement dans la pratique si on tient compte de deux faits :

— D'abord, en règle générale, les coefficients successifs w_1, w_3... apparaissant dans l'équation (11) décroissent rapidement, même dans le cas où la non-linéarité est fortement non linéaire. Par exemple, pour une non-linéarité du type relais, l'harmonique 3 est trois fois plus faible que le premier, et le cinquième cinq fois plus ;

— Ensuite et surtout les fonctions de transfert ont des propriétés de filtre passe-bas, c'est-à-dire que si les signaux à basse fréquence sont intégralement transmis, ceux aux fréquences élevées sont au contraire considérablement atténués. Si donc ω est dans la bande passante du système et les fréquences 3ω, 5ω en dehors, le taux d'harmoniques à la sortie est considérablement réduit. Si par exemple, en dehors de la bande passante, l'atténuation est de 12 dB par octave, ce qui correspond à un système du deuxième ordre, l'harmonique 3 à la sortie n'a, par rapport au signal fondamental, qu'une amplitude de $0,33 \times 0,4 = 0,13$ et l'harmonique 5 de $0,2 \times 0,06 = 0,012$. Compte tenu de cette atténuation on peut envisager de négliger ces termes et de ne plus considérer que la transmission du signal fondamental à la pulsation ω. Autrement dit on remplace l'équation (11) par l'expression approchée :

$$w = w_1 \sin (\omega t + \varphi_1).$$

Par analogie avec ce qu'on fait dans le cas linéaire il est donc naturel de caractériser le transfert de l'organe non linéaire par un rapport d'amplitude w_1/x_0 et un déphasage φ sous la forme :

$$N = \frac{w_1}{x_0}\,e^{j\varphi_1}.$$

Il ne s'agit pas d'une véritable fonction de transfert toutefois car :

— il s'agit d'une approximation et non plus d'une relation exacte. L'approximation sera d'autant meilleure que le caractère non linéaire de la caractéristique sera moins accentué et que le filtrage de la partie linéaire sera plus accentué ;

— surtout w_1/x_0 et φ_1 ne dépendent pas de la fréquence comme dans le cas linéaire mais de l'amplitude x_0 du signal d'entrée (1).

L'intérêt de l'approximation faite est qu'elle permet le plus souvent de prévoir des phénomènes que la théorie linéaire ne peut expliquer, et même de chiffrer avec une précision suffisante en pratique les caractéristiques de ces phénomènes.

L'un d'eux, fréquemment observé en pratique, est connu sous le nom de « pompage ». On a vu que lorsqu'on augmentait le gain d'un système linéaire celui-ci tendait à se déstabiliser et devenait même instable lorsque la valeur critique était dépassée. Dans une optique linéaire cela signifie que l'amplitude des oscillations croît indéfiniment, ce qui est bien impossible physiquement. Deux cas peuvent alors se présenter : ou bien le système casse (ce qui arrive parfois), ou bien plus fréquemment il se met à osciller à une amplitude fixe.

Comment expliquer ce phénomène ? Lorsque l'amplitude des oscillations atteint une certaine valeur, les hypothèses qui avaient permis d'envisager

---

(1) Du moins dans le cas des caractéristiques statiques. Dans le cas le plus général w_1/x_0 et φ dépendent et de x_0 et de ω.

un modèle linéaire ne sont plus satisfaites et des
phénomènes non linéaires apparaissent. Ce peut
être par exemple une courbure de caractéristique
de l'ampli ou des phénomènes de saturation franche
lorsque les mécanismes arrivent en butée si des
limitations de ce type ont été prévues. Dès lors on
a véritablement affaire à un système non linéaire
comme celui de la figure 18.

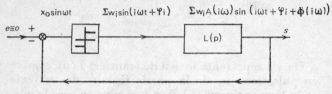

Fig. 18. — Transmission d'un signal sinusoïdal
dans un système non linéaire

Formellement, l'équation caractéristique du système, dans l'approximation harmonique :

$$1 + NL = 0$$

est la même que pour un système linéaire. En
pratique son interprétation est différente car N est
fonction de l'amplitude x_0 du signal à l'entrée de
la non-linéarité, et a donc un gain variable. Le
point critique — $1/K$ par rapport auquel on éva-
luait la stabilité d'un système linéaire est remplacé
par un lieu critique — $1/N(x_0)$ gradué en amplitude.
Alors que pour un système linéaire on pouvait
parler de stabilité ou d'instabilité en soi, cela n'a
plus de sens pour un système non linéaire qui peut
être stable à certaines amplitudes et instable à
d'autres.

On comprendra plus facilement la manière dont
les choses se passent si on se reporte à la figure 19.

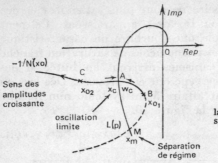

Fig. 19. — Oscillation limite dans un système non linéaire.

On y a représenté le lieu de transfert $L(p)$, gradué en pulsations ω, de la partie linéaire du système et le lieu critique $-1/N(x_0)$, gradué en amplitude, correspondant à l'organe non linéaire. Pour une petite amplitude x_{0_1} correspondant à un point B du lieu critique comme indiqué sur la figure 19, on laisse le point critique à gauche. Le critère du revers indique que dans ce cas le système est instable et l'amplitude de l'oscillation croîtra. Pour une amplitude x_{0_2} au contraire, telle que le point représentatif du lieu critique soit en C, le système est stable et par suite l'amplitude des oscillations décroît. Un régime d'équilibre est atteint lorsque l'équation caractéristique est satisfaite. Cette équation s'écrit :

$$-\frac{1}{N(x_0)} = L(p)$$

et on peut l'interpréter géométriquement comme l'intersection du lieu de transfert et du lieu critique. Au point A, caractérisé par les paramètres x_c et ω_c que l'on peut lire respectivement sur les graduations du lieu critique et du lieu de transfert en ce point, correspond une oscillation limite stable, d'amplitude et de fréquence (1) fixes. C'est ce qu'on appelle une oscillation limite.

Selon les positions respectives du lieu de transfert et du lieu critique d'autres cas peuvent se présenter. En particulier l'intersection des deux lieux peut correspondre à un cycle limite instable. On dira le plus souvent dans ce cas qu'on a une séparation de régime. Ce cas est également représenté figure 19 où le système est stable pour les amplitudes inférieures à x_m, instable pour les amplitudes supérieures à x_m. Selon que l'oscillation initiale a une amplitude inférieure ou supérieure à x_m elle disparaîtra complètement ou au contraire divergera jusqu'à la valeur x_c.

On conçoit l'intérêt qu'il peut y avoir pour l'automaticien à prévoir l'existence de telles oscillations, leurs caractéristiques, les moyens de les contrôler. Si, dans certaines applications, elles présentent une utilité certaine (on a par exemple réalisé des systèmes adaptatifs fondés sur la mesure de l'amplitude d'une oscillation limite conçue à dessein), la plupart du temps elles constituent un élément nuisible en limitant la précision du servomécanisme et éventuellement en provoquant, par fatigue, une usure prématurée du matériel.

D'autres phénomènes typiquement non linéaires peuvent être prévus et évalués par la méthode du premier harmonique. Parmi eux on peut citer les phénomènes de synchronisation et de saut qui concernent les réponses forcées des servomécanismes non linéaires. Le premier consiste dans le fait que lorsqu'on excite un système non linéaire à une fréquence ω_f donnée, une oscillation forcée à la même fréquence n'est possible que si l'amplitude de l'excitation est supérieure à une certaine valeur, appelée seuil de synchronisation. Le deuxième en ce que l'amplitude de l'oscillation forcée peut varier de manière discontinue lorsque l'on fait varier continûment l'amplitude de l'excitation.

---

(1) Une telle oscillation n'a rien à voir avec les oscillations d'un système linéaire à la limite de stabilité. Dans le cas linéaire en effet l'amplitude de l'oscillation dépend des conditions initiales, alors que celle d'une oscillation limite n'en dépend pas. On pourrait ajouter que la notion de limite de stabilité d'un système linéaire est théorique et difficilement observable, un tel système étant physiquement toujours légèrement stable ou instable.

CHAPITRE IV

LES MÉTHODES D'ÉTAT

Si les méthodes fréquentielles, fondées sur les transformées de Laplace et de Fourier, restent encore à l'heure actuelle utilisées dans de nombreux domaines de la commande, l'évolution des problèmes et de la technologie a amené un regain d'intérêt pour les méthodes temporelles et un développement considérable des méthodes d'état.

Cette évolution n'est assurément pas due à un désir gratuit de changement et si, en automatique comme ailleurs, il y a parfois des modes et des engouements, les raisons en sont ici beaucoup plus profondes.

Elles tiennent d'une part à la complexité plus grande des systèmes et au besoin fréquent d'en donner une représentation plus fine, particulièrement au niveau des couplages internes ; le cas des systèmes multidimensionnels est significatif à cet égard. Elles tiennent d'autre part aux performances accrues demandées et à l'apparition de nouveaux types de problèmes, en particulier les problèmes de commande optimale, pour lesquels les méthodes fréquentielles se révèlent inadaptées.

Mais il ne faudrait surtout pas oublier que le développement actuel des méthodes d'état a été lié à celui des calculateurs numériques. Sans ce moyen de calcul elles seraient, sans nul doute, restées au stade élémentaire des méthodes du plan de phase en ce qui concerne ses applications pratiques et tout le reste n'aurait été que belle théorie.

I. — Notion d'état

Si on se reporte à nouveau au système simple considéré au début du chapitre III, on a vu que, en ce qui concerne la charge, les lois de la mécanique permettaient d'expliciter la relation entrée-sortie, *i. e.* couple-position, par l'équation différentielle du second ordre :

$$C = \mathscr{I}s'' + fs' + rs \tag{1}$$

Cette équation est-elle réellement suffisante pour connaître à tout instant la position de la charge sachant qu'on applique à partir d'un instant initial un couple $C(t)$ connu ? Assurément non, car pour cela il faut de plus connaître la position s_0 et la vitesse s_0' qu'elle avait au temps 0. La connaissance de ces deux grandeurs, qui définissent « l'état initial » du système, est indispensable au même titre que l'équation causale et les deux variables s et s' sont ce qu'on appelle des *variables d'état* pour le système envisagé.

D'une manière plus générale l'état d'un système à un instant donné t est défini par la connaissance d'un certain nombre de paramètres tel que la donnée des équations décrivant la dynamique du système et des fonctions de commande qui lui seront appliquées ensuite, permette de déterminer son évolution ultérieure. L'état d'un système à l'instant t constitue en quelque sorte l'information minimum que l'on a besoin de connaître sur son passé pour pouvoir prédire son futur.

Si ces variables sont considérées comme les composantes d'un vecteur x, dit *vecteur d'état*, cela revient à dire que l'on pourra toujours exprimer formellement la sortie s du système par des équations de la forme :

$$s(t) = \text{fonction } (x(t_0),\, e(t_0\, t),\, t).$$

Au reste le vecteur d'état $x(t)$ évolue également dans le temps, et on peut lui associer une équation analogue à la précédente. Dans le cas des systèmes différentiels, c'est-à-dire des systèmes où les relations entrées-sorties s'expriment sous forme d'équations différentielles, on peut d'une manière très générale définir l'évolution du système par des équations de la forme :

$$\begin{aligned} \dot{x}(t) &= \mathscr{F}(x(t),\, e(t),\, t) \\ s &= g(x(t),\, t) \end{aligned} \tag{2}$$

Des équations de ce type constituent les équations d'état du système qui, dans le cas des systèmes linéaires invariants, se mettent sous la forme :

$$\begin{aligned} \dot{x} &= \mathrm{A}x + \mathrm{B}e \\ y &= \mathrm{C}x \end{aligned} \tag{3}$$

Dans ces équations, x représente un vecteur dont la dimension n est l'ordre du système différentiel, A une matrice carrée de dimension nn, et B et C des matrices dont la dimension dépend du nombre d'entrées et de sorties et qui, dans le cas des systèmes mono-entrée-monosortie se réduisent à un vecteur colonne et un vecteur ligne.

Par exemple, si dans l'équation différentielle (1) on prend comme variables d'état :

$$x_1 = s \qquad x_2 = s'$$

on a immédiatement :

$$\dot{x}_1 = x_2$$
$$\dot{x}_2 = s'' = \frac{1}{\mathscr{J}}\,(\mathrm{C} - fs' + rs) = \frac{1}{\mathscr{J}}\,(\mathrm{C} - fx_2 - rx_1)$$

d'où les équations d'état :

$$\begin{bmatrix} \dot{x}_1 \\ \dot{x}_2 \end{bmatrix} = \begin{bmatrix} 0 & 1 \\ -r/\mathscr{I} & -f/\mathscr{I} \end{bmatrix} \begin{bmatrix} x_1 \\ x_2 \end{bmatrix} + \begin{bmatrix} 0 \\ 1/\mathscr{I} \end{bmatrix} c \tag{4}$$

$$s = \begin{bmatrix} 1 & 0 \end{bmatrix} \begin{bmatrix} x_1 \\ x_2 \end{bmatrix}$$

D'une manière plus générale, si un système est défini par l'équation différentielle d'ordre n :

$$s^{(n)} + a_{n-1} s^{(n-1)} + \ldots + a_1 s' + a_0 s = b_m u^{(m)} + \ldots + b_1 u' + b_0 u$$

où $s^{(v)}$ représente la dérivée $v^{\text{ième}}$ de s par rapport au temps, et où m est inférieur à n, on peut prendre comme variables d'état :

$$x_1 = s$$
$$x_2 = a_{n-1} s + s'$$
$$\vdots$$
$$x_{n-1} = a_2 s + a_3 s' + \ldots + s^{(n-2)} - [b_2 u + b_3 u' + \ldots + b_m u^{(m-2)}]$$
$$x_n = a_1 s + a_2 s' + \ldots + s^{(n-1)} - [b_1 u + b_2 \ddot{u} + \ldots + b_m u^{(m-1)}]$$

et une représentation d'état s'écrit sous la forme :

$$\begin{vmatrix} \dot{x}_1 \\ \dot{x}_2 \\ \vdots \\ \dot{x}_n \end{vmatrix} = \begin{vmatrix} -a_{n-1} & 1 & 0 \ldots 0 \\ -a_{n-2} & 0 & 1 \ldots 0 \\ & & \ddots \\ & & & 1 \\ -a_0 & 0 & \ldots 0 \end{vmatrix} \begin{vmatrix} x_1 \\ x_2 \\ \vdots \\ x_n \end{vmatrix} + \begin{vmatrix} 0 \\ \vdots \\ 0 \\ b_m \\ \vdots \\ b_0 \end{vmatrix} u \tag{5}$$

$$s = \begin{bmatrix} 1 & 0 & \ldots & 0 \end{bmatrix} \begin{bmatrix} x_1 \ldots x_n \end{bmatrix}^{\text{T}}.$$

Cette forme de A, dite forme compagne, est particulièrement intéressante ; on peut en effet en déduire directement l'équation caractéristique du système qui en définit les modes. Cette équation qui, d'une manière générale est égale au déterminant de la matrice $p\text{I} - \text{A}$ s'écrit ici :

$$p^n + a_{n-1} p^{n-1} \ldots + a_1 p + a_0 = 0.$$

Ce sont donc les coefficients de l'équation caractéristique qui apparaissent dans la première colonne de la matrice A.

Nous avons dit précédemment « une représentation d'état... ». C'est qu'en effet la représentation d'état n'est pas unique et qu'il est toujours possible, étant donné une représentation d'état, de faire une transformation linéaire sur les états pour obtenir une nouvelle représentation d'état équivalente. Toutes les matrices A, B, C, possibles sont alors reliées par des relations fondamentales. En effet si on définit une telle transformation par :

$$x = T\tilde{x}$$

le système :

$$\dot{x} = Ax + Be \qquad s = Cx$$

est transformé en :

$$\dot{\tilde{x}} = T^{-1}AT\tilde{x} + T^{-1}Be \qquad s = CT\tilde{x}$$

qui est de la même forme en posant :

$$\tilde{A} = T^{-1}AT, \qquad \tilde{B} = T^{-1}B, \qquad \tilde{C} = CT.$$

Ces transformations linéaires sont très fréquemment utilisées en pratique car elles permettent de mettre les matrices A, B, C, sous des formes particulières, faisant apparaître certaines propriétés du système en facilitant considérablement les calculs. De là est née l'idée de structures canoniques, fondamentale dans la résolution des problèmes de commande, qu'il s'agisse de compensation ou d'élaborer un observateur, c'est-à-dire un système permettant de reconstituer les états non mesurables d'un processus.

II. — Les méthodes du plan de phase

Les variables d'état caractérisant à tout instant l'état du système il est possible de caractériser celui-ci, à un instant déterminé, par la donnée d'un point M dont les coordonnées sont définies comme les composantes du vecteur d'état à cet instant. Lorsque le système évolue en fonction du temps le point M se déplace dans l'espace et décrit une trajectoire appelée *trajectoire de phase* qui décrit complètement le comporte ment du système à partir de conditions initiales données et qui visualise, en quelque sorte, son histoire.

L'ensemble des trajectoires correspondant à diverses conditions initiales, ou *portrait de phase*, renseigne ainsi complètement sur les divers régimes, transitoires ou permanents, du système et sur sa stabilité...

Théoriquement on peut toujours imaginer de construire les trajectoires dans un espace de dimension quelconque. En pratique leur construction dans un espace à trois dimensions est déjà extrêmement complexe et on se limite aux trajectoires qui peuvent être représentées dans le plan, c'est-à-dire celles correspondant à des systèmes du second ordre caractérisés par deux variables d'état seulement.

Considérons par exemple le servomécanisme fonctionnant en régulateur représenté schématiquement à la figure 20 *a)*. Les équations du système s'écrivent :

$$s'' + s = M \text{ signe } (x + kx')$$

i. e. puisque $x = -s$:

$$x'' + x + M \text{ signe } (x + kx') = 0$$

ou sous forme de variables d'état, en posant :

$$x_1 = x \quad x_2 = x'$$
$$\dot{x}_1 = x_2$$
$$\dot{x}_2 = -x_1 - M \text{ signe } (x_1 + kx_2).$$

Dans le plan de phase de coordonnées x_1, x_2 on a donc deux types d'équations, selon que la quantité $x_1 + kx_2$ est positive ou négative, c'est-à-dire selon que l'on est dans la région I ou II indiquée, figure 20 *b)*. Dans chacune de ces régions les trajectoires sont définies par l'équation intégrale :

$$\frac{dx_2}{dx_1} = -\frac{x_1 + M \text{ signe } (x_1 + kx_2)}{x_2}.$$

Dans certains cas simples ces équations sont intégrables (c'est le cas ici où les trajectoires dans les régions I et II

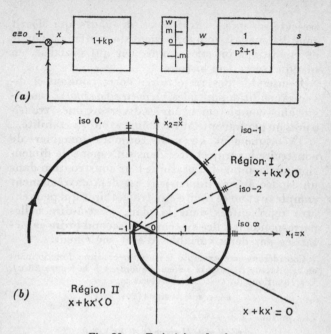

Fig. 20. — Trajectoires de phase
et isoclines du système asservi
représenté par le diagramme fonctionnel *(a)*

sont respectivement des cercles centrés sur l'axe des x_1 aux
points — M et + M). En règle générale cependant la méthode
est surtout une méthode graphique et les trajectoires sont
dessinées à partir de la connaissance d'un certain nombre
d'isoclines, l'isocline de pente m étant la courbe que toutes
les trajectoires de phase correspondant à diverses conditions
initiales coupent sous une pente égale à m (1).

(1) Dans l'exemple traité ici l'isocline de pente m dans la région 1
a pour équation :

$$m = -\frac{x_1 + M}{x_2} \quad i. \ e. \quad x_2 = -\frac{1}{m}(x_1 + M).$$

On a tracé, figure 33, les isoclines $m = 0$, $m = -1$, $m = -2$
et $m = \infty$ à titre d'indication.

III. — Résolution et discrétisation de l'équation d'état

La résolution d'une équation d'état sous la forme (3) est théoriquement possible par l'intermédiaire d'une « fonction de transition » Φ sous la forme :

$$x(t) = \Phi(tt_0)\, x_0 + \int_{t_0}^{t} \Phi(t, \tau)\, B(\tau)\, e(\tau)\, d\tau.$$

Dans la plupart des cas cependant une solution analytique de cette équation ne peut être obtenue et son calcul à la main est trop difficile pour être envisagé. On est donc obligé d'utiliser un calculateur numérique et c'est ce qui explique que le développement des méthodes fondées sur la représentation d'état a été lié à l'extension des calculateurs.

Il ne faut pas oublier cependant qu'un calculateur numérique ne sait travailler que sur des signaux discrets, c'est-à-dire qu'il ne permettra que la résolution d'équations récurrentes. Il importera donc au préalable de transformer l'équation d'état continue (3) en une équation discrète de la forme :

$$\begin{aligned} x_{k+1} &= F^*(x_k, e_k, k) \qquad (6) \\ s_k &= G^*(x_k, k) \end{aligned}$$

où x_k représente la valeur prise par le vecteur d'état au $k^{\text{ième}}$ instant envisagé.

Une telle équation se prête facilement à une intégration numérique, par exemple par les méthodes de Runge-Kutta.

IV. — Représentations des systèmes linéaires

Il n'est sans doute pas inutile de faire un petit retour en arrière sur les divers modes de représentation d'un système linéaire. Nous ne nous sommes pas trop posé de problèmes jusqu'à présent et avons, de fait, admis qu'il y avait identité, pour un système linéaire invariant, entre équation différentielle et fonction de transfert.

Un exemple très simple va nous montrer qu'il n'en est pas toujours ainsi et nous permettra d'introduire de façon intuitive les notions de *gouvernabilité* et d'*observabilité* qui jouent un rôle fondamental dans de nombreux problèmes de commande.

Supposons qu'un système dynamique soit physiquement constitué de quatre sous-systèmes S_1, S_2, S_3, S_4. S_1 et S_2 d'une part, S_3 et S_4 d'autre part étant montés en parallèle, et ces sous-ensembles étant ensuite connectés en cascade. Supposons de plus que ces sous-systèmes soient décrits respectivement par les équations différentielles suivantes :

$$S_1 : \dot{v}_1 + v_1 = 2/3\, u \quad S_2 : \dot{v}_2 - 2v_2 = 1/3\, u \qquad (6)$$
$$S_3 : \dot{y}_1 + 3y_1 = 5/3\, v \quad S_4 : \dot{y}_2 - y_2 = -1/4\, v \qquad (7)$$

les équations de liaisons s'écrivant :

$$v = v_1 + v_2 \quad \text{et} \quad y = y_1 + y_2$$

et que l'on veuille une représentation du système global, c'est-à-dire une relation entre y et u.

On pourrait penser à chercher cette représentation sous forme d'une équation différentielle, ce qui est facile. En dérivant les deux premières relations (6) puis en faisant des substitutions évidentes on a en effet, pour l'ensemble parallèle $S_1 S_2$:

$$\ddot{v} - \dot{v} - 2v = \dot{u} - u \qquad (8)$$

et de même, pour l'ensemble S_3, S_4 :

$$\ddot{y} + 2\dot{y} - 3y = \dot{v} - 2v \qquad (9)$$

Si on dérive l'équation (9), compte tenu de (8) on a alors :

$$\dddot{y} + 2\ddot{y} - 3\dot{y} = \ddot{v} - 2\dot{v} = 2v + \dot{u} - u - \dot{v}$$
$$= -\ddot{y} - 2\dot{y} + 3y + \dot{u} - u$$

c'est-à-dire, en regroupant les termes :

$$\dddot{y} + 3\ddot{y} - \dot{y} - 3y = \dot{u} - u \qquad (10)$$

On aurait pu également chercher une représentation sous forme de fonction de transfert. Les transmittances associées aux systèmes S_1 à S_4 étant :

$$\frac{2}{3(p+1)}, \quad \frac{1}{3(p-2)}, \quad \frac{5}{4(p+3)}, \quad -\frac{1}{4(p-1)}$$

on a :

$$\frac{y}{u} = \frac{y}{v} \times \frac{v}{u} = \frac{1}{4} \left[\frac{5}{p+3} - \frac{1}{p-1} \right] \times \frac{1}{3} \left[\frac{2}{p+1} - \frac{1}{p-2} \right]$$

$$= \frac{1}{(p+1)(p+3)} \qquad (11)$$

Une troisième solution consiste à écrire les équations d'état du système. Si on prend pour variables d'état v_1, v_2, y_1 et y_2 une représentation d'état évidente s'écrit :

$$\begin{vmatrix} \dot{v}_1 \\ \dot{v}_2 \\ \dot{y}_1 \\ \dot{y}_2 \end{vmatrix} = \begin{vmatrix} -1 & 0 & 0 & 0 \\ 0 & 2 & 0 & 0 \\ 1 & 1 & -3 & 0 \\ 1 & 1 & 0 & 1 \end{vmatrix} \begin{bmatrix} v_1 \\ v_2 \\ y_1 \\ y_2 \end{bmatrix} + \frac{1}{3} \begin{bmatrix} 2 \\ 1 \\ 0 \\ 0 \end{bmatrix} u$$

$$\qquad (12)$$

$$y = \frac{1}{4} \quad [0 \quad 0 \quad 5 - 1] \begin{bmatrix} v_1 \\ v_2 \\ y_1 \\ y_2 \end{bmatrix}.$$

La comparaison des équations (10) (11) et (12) n'est pas sans laisser apparaître des différences notables. Dans l'expression de la fonction de transfert (11) n'apparaissent que les modes à $p = -1$ et $p = -3$ mais toute information relative aux modes $p = 2$ et $p = 1$ a été perdue. En particulier au vu de l'expression (11) on pourrait penser avoir affaire à un système stable alors que, d'après les équations (6) et (7), il est manifestement instable. L'équation différentielle (10) contient un peu plus d'information. Si on l'écrit en effet sous la forme :

$$(p-1)(p+1)(p+3)y = (p-1)u$$

en posant $p = d/dt$ elle conserve le mode instable $p = 1$. Par contre le mode à $p = 2$ n'apparaît toujours pas.

Au contraire l'équation d'état (12) représente correctement le système puisque son équation caractéristique s'écrit :

déterminant $(pI - A) = (p+1)(p+3)(p-1)(p-2)$.

Ces contradictions apparentes s'expliquent si on examine de plus près la structure de l'équation (12). Pour mieux voir apparaître les propriétés du système faisons sur l'équation (12) une transformation linéaire en définissant les nouvelles variables x_i telles que :

$$\begin{bmatrix} x_1 \\ x_2 \\ x_3 \\ x_4 \end{bmatrix} = \begin{bmatrix} 0,5 & 0 & 0 & 0 \\ 0,5 & -0,2 & 1 & 0 \\ 0,5 & -1 & 0 & 1 \\ 0 & 0,2 & 0 & 0 \end{bmatrix} \begin{bmatrix} v_1 \\ v_2 \\ y_1 \\ y_2 \end{bmatrix}.$$

Par rapport aux variables x_i l'équation d'état s'écrit sous la forme :

$$\begin{bmatrix} \dot{x}_1 \\ \dot{x}_2 \\ \dot{x}_3 \\ \dot{x}_4 \end{bmatrix} = \begin{bmatrix} -1 & 0 & 0 & 0 \\ 0 & -3 & 0 & 0 \\ 0 & 0 & 1 & 0 \\ 0 & 0 & 0 & 2 \end{bmatrix} \begin{bmatrix} x_1 \\ x_2 \\ x_3 \\ x_4 \end{bmatrix} + \frac{1}{15} \begin{bmatrix} 5 \\ 4 \\ 0 \\ 1 \end{bmatrix} u \qquad (13)$$

$$y = \begin{bmatrix} -1 & \dfrac{5}{4} & -\dfrac{1}{4} & 0 \end{bmatrix} [x_1\ x_2\ x_3\ x_4]^{\mathrm{T}}$$

que l'on peut représenter d'une manière plus parlante comme l'indique la figure 21. Deux choses sont à remarquer. La première est que l'état x_3 n'est pas relié à l'entrée. Il évoluera donc d'une manière qui ne dépend que de la condition initiale quelle que soit la commande que l'on applique au système. Un tel état est dit pour cela *ingouvernable*.

La seconde est que l'état x_4, s'il est relié à l'entrée, ne l'est pas à la sortie. En d'autres termes, cela veut dire que, quelles que soient les observations que l'on fasse sur la sortie y, rien ne permettra de mettre en évidence l'existence d'un tel mode, qui pour cette raison est dit *inobservable*.

Les états x_1 et x_2 par contre, reliés aussi bien à l'entrée qu'à la sortie, seront dits gouvernables et observables.

Ainsi, au double point de vue de la commande et de l'observation, on voit que le système proposé peut, en fait, se décomposer en trois parties : S_1 gouvernable et inobservable, S_2 gouvernable et observable, S_3 observable et non gouvernable.

Ces résultats sont, de fait, généraux et on peut

montrer que tout système peut être décomposé, dans l'espace d'état, en quatre sous-systèmes, S_1 à S_4, le sous-système S_4 qui n'apparaît pas figure 21 correspondant à la possibilité de modes ingouvernables et inobservables.

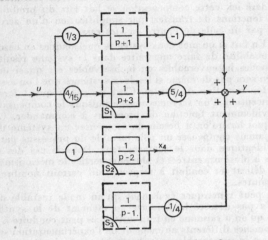

Fig. 21. — Diagramme fonctionnel
faisant apparaître l'ingouvernabilité du mode x_3
et l'inobservabilité de x_4

Dès lors on s'explique les raisons des divergences constatées entre les équations (10) (11) (12).

La fonction de transfert qui exprime une relation entrée-sortie ne conserve que les modes liés effectivement à l'entrée et à la sortie, c'est-à-dire uniquement ceux gouvernables et observables.

L'équation différentielle déterminée à partir d'observations faites sur la sortie du système ne conserve que les modes observables.

Seule l'équation d'état conserve tous les modes et peut donner une représentation exacte du système.

Avant de terminer sur ce paragraphe quelques remarques complémentaires sont indispensables.

1. Les phénomènes d'ingouvernabilité et d'inobservabilité sont liés à l'existence de compensations internes entre divers sous-systèmes associés en un système unique. Dans le cas simple des systèmes mono-entrée et monosortie comme celui considéré ici, cette compensation se fait lors du produit de deux fonctions de transfert par simplification d'un zéro de l'une par un pôle de l'autre ou *vice versa*.

2. En fait si on met deux systèmes quelconques en cascade la probabilité de faire apparaître dans le système résultant des modes ingouvernables ou inobservables est quasi nulle. Il n'en sera pas de même si les deux systèmes que l'on associe sont fonction l'un de l'autre. C'est un cas fréquent lors de la conception d'un servomécanisme puisque le compensateur est évidemment fonction du processus à commander. C'est pourquoi lorsqu'on a besoin de compenser un système il ne faut jamais compenser un pôle instable du processus par un zéro identique dans le compensateur. Dans le cas des systèmes à plusieurs entrées et plusieurs sorties le mécanisme est plus délicat et conduit à respecter un certain nombre de contraintes.

On peut remarquer également qu'un mode instable dont on n'a pas détecté la présence au moment de la synthèse parce qu'on a raisonné en transmittances peut conduire à des phénomènes différents au moment de l'expérimentation selon qu'il est ingouvernable ou inobservable. Dans le premier cas, s'il est observable, la sortie sera instable et on s'en rendra vite compte, même s'il est trop tard. Dans le deuxième cas, le mode instable, inobservable, n'apparaît pas dans la sortie qui aura donc un comportement stable. C'est à l'intérieur même du système qu'a lieu l'instabilité ; dans le meilleur des cas les performances ne seront pas celles prévues car le système fonctionnera nécessairement en dehors des conditions prévues et que des effets non linéaires très importants auront lieu ; à moins que l'instabilité entraîne purement et simplement la destruction du système, par échauffement de l'ampli ou de tout autre dispositif électronique par exemple.

3. La fonction de transfert ne représentant que la partie gouvernable et observable d'un système, on voit que la dimension du vecteur d'état que l'on peut associer à une fonction de transfert n'est pas déterminée puisqu'on peut lui rajouter autant de modes ingouvernables ou inobservables que l'on veut sans modifier la fonction de transfert. C'est là

tout le problème de la recherche d'une *réalisation minimale*, c'est-à-dire d'une équation d'état de degré minimal correspondant à une fonction de transfert donnée.

V. — Compensation par retour d'état

Le but de tout servomécanisme est d'améliorer les performances d'un système. En particulier le premier problème que l'on est amené à se poser est de modifier, grâce à la chaîne de réaction, la dynamique du processus, pour le rendre mieux amorti ou plus rapide par exemple. Ceci revient à imposer d'une certaine manière les modes du système bouclé.

Un tel but peut être atteint en utilisant une loi de commande de la forme :

$$e = e_c + Kx$$

e étant l'entrée du processus et e_c l'entrée que l'on veut commander comme le montre la figure 22.

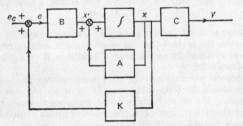

Fig. 22. — Principe de la compensation par retour d'état

Les équations d'état du système bouclé s'écrivent alors :

$$\dot{x} = (A + BK)\, x + Be_c$$
$$y = Cx$$

c'est-à-dire qu'on a remplacé les modes du processus en boucle ouverte définis par l'équation caractéristique :

$$\det (Ip - A) = 0$$

par ceux définis par l'équation :
$$\text{dét } (Ip - A - BK) = 0.$$

On conçoit donc que, par un choix convenable du compensateur K, il soit possible de modifier la dynamique du processus. Dans le cas où tous les états sont supposés mesurables on peut même modifier à volonté cette dynamique si le processus est complètement gouvernable. La manière la plus simple de procéder consiste à utiliser une des formes canoniques dont nous avons parlé dans laquelle la matrice A apparaît sous forme compagne et la matrice B sous la forme d'un vecteur nul à l'exception du dernier élément égal à 1.

C'est sous cette forme que se présentent les équations (4) dont l'équation caractéristique est de la forme :
$$\mathscr{I}p^2 + fp + r = 0.$$

Supposons que $\mathscr{I}$ et r soient égales à 1 et que le frottement visqueux f soit nul. Dans ce cas l'équation s'écrit :
$$p^2 + 1 = 0$$

et on a un système qui est juste à la limite de stabilité puisque les racines de cette équation sont imaginaires pures. Si on écarte le système de sa position d'équilibre il va donc osciller à la période 2π.

Supposons par exemple qu'on veuille concevoir un système de commande de telle sorte que le système réponde comme un système du second ordre avec un amortissement de 0,7 et une pulsation ω_n égale à 1, c'est-à-dire qu'on veuille imposer en boucle fermée une équation caractéristique :
$$p^2 + 1,4\,p + 1 = 0.$$

Il suffit pour cela que la matrice $A + BK$ ait la forme compagne :
$$A + BK = \begin{bmatrix} 0 & 1 \\ -1 & -1,4 \end{bmatrix}.$$

On en déduit immédiatement K puisque :
$$\begin{bmatrix} 0 & 1 \\ -1 & -1,4 \end{bmatrix} = \begin{bmatrix} 0 & 1 \\ -1 & 0 \end{bmatrix} + \begin{bmatrix} 0 \\ 1 \end{bmatrix} [k_1\, k_2]$$

soit : $K = [k_1,\, k_2] = [0 \quad -1,4].$

La loi de commande est donc de la forme :

$$e = e_c + \mathrm{K}x = e_c - 1,4\, x_2 = e_c - 1,4\, s'.$$

Dans le cas présent on peut envisager de mesurer la vitesse s', par exemple au moyen d'une génératrice tachymétrique, si bien que la réalisation de la loi de commande est possible directement.

Dans le cas général par contre tous les états du système ne sont pas mesurables et l'utilisation d'une réaction d'état supposera qu'on puisse reconstituer d'une façon ou d'une autre les états non mesurables. Deux méthodes peuvent *a priori* être envisagées.

La première consiste à construire un modèle du processus et à utiliser les états de ce modèle à la place des états réels dans la chaîne de commande. La validité d'une telle méthode réside dans la réalisation d'une identification parfaite et suffisamment rapide du processus, difficilement possible en pratique.

La deuxième consisterait à différencier la sortie un certain nombre de fois et à retrouver ainsi le vecteur d'état. En pratique cette solution n'est pas possible pour des problèmes de bruit.

Entre ces deux méthodes, l'une trop lente, l'autre trop rapide, un compromis peut être trouvé en utilisant ce qu'on appelle un observateur, c'est-à-dire un système dynamique qui, à partir de l'entrée

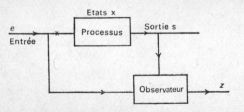

Fig. 23. — Principe de l'observateur

et de la sortie du processus, est susceptible de reconstituer les états inconnus du système, comme le montre la figure 23.

Si on définit l'observateur comme le système dynamique donné par son équation d'état :

$$\dot{z} = \alpha z + \beta_1 s + \beta_2 e$$

il est possible d'imposer une relation linéaire entre les états z du processus et ceux x du processus si on satisfait les équations :

$$TA - \alpha T = \beta_1 C$$
$$TB = \beta_2.$$

Bien plus, si le processus est d'ordre n on peut prendre un observateur de dimension $n - 1$, de dynamique arbitraire, dans le cas des systèmes mono-sortie, et de dimension $n - p$ pour un système ayant p sorties.

Chapitre V

LES SYSTÈMES PULSÉS

L'information et la commande dans les systèmes précédemment envisagés se faisaient d'une manière continue. Il est d'autres cas où le signal, en un ou plusieurs points de la chaîne, n'apparaît que d'une manière intermittente, à certains instants.

De tels systèmes se rencontrèrent pour la première fois dans des dispositifs de guidage où la détection était assurée au moyen d'un radar mais, très vite, le domaine d'application s'accrut. L'utilisation de signaux discrets (c'est ainsi qu'on appelle ces signaux qui n'apparaissent qu'à certains instants) se généralisa et fut même introduite à dessein.

Des raisons d'économie et de poids peuvent amener par exemple à mesurer différents signaux au moyen du même appareil de mesure. Dans ce cas, on réalise ce qu'on appelle un multiplexage et le temps nécessaire pour commuter l'appareil sur les diverses voies à mesurer, joint le cas échéant au temps nécessaire à la mesure, fait que l'information n'est disponible que d'une manière discontinue (cyclique ou non).

Toujours pour des raisons d'économie, et en particulier dans les systèmes de commande à distance où les signaux sont envoyés par télémétrie, il y a intérêt à n'utiliser qu'un seul canal de transmission pour toutes les informations provenant de divers capteurs. Là encore on aura affaire à des signaux discrets.

Mais c'est surtout le développement des petits calculateurs spécialisés et leur introduction dans les chaînes de commande, avec leurs avantages de compacité, de poids, de fiabilité et surtout de versatilité, qui devaient donner aux systèmes à commande discrète une si grande importance. Non seulement, par leur rapidité, ils permettent de résoudre les problèmes de multiplexage ; ils permettent surtout d'envisager une extension considérable des techniques de compensation et de commande, sans rapport avec les techniques analogiques, tout en assurant une versatilité et une souplesse dont les premières se montrent incapables.

I. — L'échantillonnage

L'opération d'échantillonnage, c'est-à-dire l'obtention à partir d'un signal continu d'un signal discret, peut se faire de nombreuses façons. On peut avoir affaire à un échantillonnage d'amplitude. Dans ce cas, un certain nombre de niveaux d'amplitude sont fixés. Au moment où l'amplitude du signal continu atteint l'un de ces niveaux une impulsion est délivrée, proportionnelle au niveau atteint. Les impulsions apparaissent donc à des instants quelconques.

Le plus souvent l'opération d'échantillonnage consiste en des prélèvements faits sur le signal continu à des intervalles de temps fixés, également espacés de T ; de tels systèmes sont aussi appelés systèmes pulsés et T est la période d'échantillonnage. Le signal continu est alors transformé en une série d' « impulsions » aux temps O, T, ..., nT, dont la modulation peut se faire, soit en amplitude, soit en largeur, soit en phase. Dans le cas d'une modulation en amplitude, par exemple, les impulsions ont toutes même largeur mais une hauteur proportionnelle à la valeur du signal continu au moment de l'échantillonnage.

Tous ces signaux sont de type analogique. L'information discrète peut également apparaître sous forme codée, *i. e.* sous forme d'une série d'impulsions série ou parallèle ; c'est sous cette forme que l'information circule dans un calculateur numérique et on dit alors que l'on a affaire à un signal numérique.

II. — Structure d'une chaîne de commande pulsée

Quelles modifications le fait que le signal apparaisse sous forme discrète en certains points de la chaîne apporte-t-il à la structure générale d'un servomécanisme ?

On s'en rendra compte en examinant la figure 24 qui représente un servomécanisme échantillonné. On y trouve évidemment le processus et l'actionneur comme dans le cas continu, mais un élément nouveau que l'on appelle « bloqueur » ou « convertisseur numérique analogique » apparaît en amont de

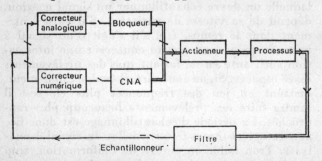

Fig. 24. — Structures d'une chaîne de commande pulsée

l'actionneur. En général, en effet, l'énergie contenue dans le signal discret, surtout s'il s'agit d'un signal codé, n'est pas suffisante pour commander les organes moteurs du servomécanisme et il s'avère nécessaire de reconstituer à partir du signal discret un signal continu. C'est le rôle du *bloqueur*.

Le plus souvent cette reconstitution est faite d'une façon très élémentaire. C'est ainsi qu'une solution très employée consiste à maintenir le signal restitué constant, pendant un intervalle de temps égal à T, à une valeur égale à celle du signal échantillonné au début de la période envisagée. C'est ce qui justifie la dénomination de « bloqueur » que l'on donne à l'organe chargé de cette conversion.

Si au lieu d'avoir un signal analogique, on a un signal codé, la reconstitution du signal continu est assurée par un « convertisseur numérique analogique » (C.N.A.) dont la fonction est identique à celle du bloqueur.

III. — Propriétés fréquentielles d'un système pulsé

On conçoit intuitivement que la fréquence à laquelle on devra échantillonner un signal continu, dépend de sa vitesse de variation. S'il varie lentement dans le temps, *i. e.* s'il s'agit d'un signal à basse fréquence, on pourra conserver une information suffisante en ne faisant que des prélèvements assez espacés. Si, au contraire, il évolue rapidement, mettant en jeu des fréquences plus élevées, il faudra faire des prélèvements beaucoup plus rapprochés. La période d'échantillonnage est donc liée aux caractéristiques fréquentielles du signal à analyser. Trop faible on perdra de l'information, trop élevée on aura une information surabondante dont la transmission et le traitement coûteraient inutilement cher.

Ces notions intuitives peuvent être précisées si on admet le résultat suivant, aisément démontrable mathématiquement et qui est quelquefois connu sous le nom de « phénomène de repliement ». Si le spectre du signal continu, ou du moins du signal utile, c'est-à-dire la partie du spectre limité à la gamme de fréquence où il a une énergie appréciable, est limité à la bande $(- \omega_c + \omega_c)$, le spectre du même signal, après échantillonnage à la période T, est constitué par la superposition du spectre continu et d'un infini de spectres égaux, se reproduisant identiquement, mais décalés en fréquence de quantités égales à $\pm k2\pi/T$; k étant un entier quelconque.

Quelles sont les conséquences de ceci ? D'abord et bien évidemment que le spectre du signal échantillonné est bien plus étendu que celui du signal continu qui lui a donné naissance. Théoriquement il est même infini.

Ensuite, qu'en ce qui concerne la bande de fréquence originale du signal continu deux cas sont à considérer (voir la fig. 25).

a) Si le signal a été échantillonné à une fréquence suffisamment rapide, *i. e.* si la période T est telle que $2\pi/T$ soit supérieure à la fréquence maxima du spectre du signal continu, les spectres translatés ne se recouvrent pas. Dans l'intervalle $- \omega_c + \omega_c$ les deux spectres, continu et échantillonné, sont donc identiques et un filtrage ultérieur permettra de reconstituer le signal original.

b) Si au contraire on n'a pas échantillonné à une cadence suffisamment rapide, les divers lobes dus à l'échantillonnage se superposent (1), comme le

---

(1) On dit aussi qu'il y a repliement des spectres.

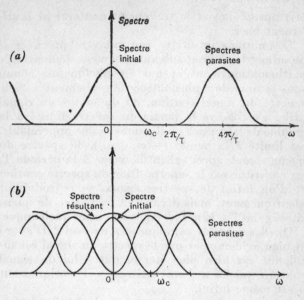

Fig. 25

a) Période d'échantillonnage correctement choisie
b) Période d'échantillonnage trop longue

montre la figure 25 *b)* où par rapport au cas *a)*,
on a supposé une période trois fois plus longue. Le
spectre résultant, qui est la somme de tous les
spectres partiels, se trouve donc considérablement
déformé et quel que soit le filtrage ultérieur qu'on
puisse faire il ne sera jamais possible de reconstituer
les propriétés du signal original.

Il en résulte la règle suivante, bien connue sous
le nom de théorème de Shannon : Pour pouvoir
reconstituer un signal continu à partir du signal
échantillonné il faut que la pulsation d'échantillonnage $\omega = 2\pi/T$ soit au moins deux fois plus

grande que la pulsation de coupure ω_c du signal continu.

En d'autres termes cela revient à dire que l'échantillonneur doit prélever au moins deux échantillons par cycle à la fréquence la plus élevée du signal qu'on veut échantillonner. Cette limite est au reste une limite théorique inférieure et, en pratique, on effectuera entre 5 et 10 échantillons par cycle.

Les conséquences du théorème de Shannon sont de deux ordres.

Il en résulte d'abord que toute opération d'échantillonnage devra être suivie d'une opération de *filtrage* dans le but d'éliminer les lobes parasites. En fait, ce filtrage est le plus souvent réalisé au niveau du bloqueur.

Mais il faut souvent aussi filtrer avant échantillonnage. Une telle nécessité apparaît aisément si on veut bien se rappeler qu'en pratique tout signal utile (ou « message ») est entaché de signaux parasites, d'origines très diverses et qu'on désigne sous le nom de bruit. En règle générale, le spectre de ce bruit s'étend sur une gamme de fréquences plus grande que celle du message et est d'une amplitude plus faible, le quotient des amplitudes caractérisant le rapport signal sur bruit. Si la période d'échantillonnage est choisie en fonction du signal utile on aura donc une superposition importante des spectres parasites liés au bruit entraînant une augmentation sensible, et irrémédiable, du rapport signal/bruit dans les fréquences utiles. C'est donc avant l'échantillonnage qu'il importe de filtrer énergiquement tous les bruits en dehors de la gamme utile.

IV. — Aperçu sur les mathématiques des systèmes pulsés

On a vu que, dans le cas des systèmes linéaires continus, régis par des équations différentielles linéaires à coefficients constants, l'utilisation des transformées de Laplace, associée à la notion de fonction de transfert, permettait de simplifier considérablement le calcul des solutions. Bien plus, le plus souvent, les propriétés essentielles du système pouvaient se déduire directement de l'inspection de la fonction de transfert, ou, ce qui revient au même, du lieu de transfert.

Ces systèmes pulsés (1) linéaires peuvent être décrits par des équations aux différences, du moins lorsque tous les échantillonneurs sont synchrones, ce qui est le cas le plus fréquemment rencontré dans la pratique. Ces équations aux différences peuvent être traitées symboliquement, en utilisant la notion de transformée en z qui est, aux systèmes pulsés, exactement ce qu'est la transformée de Laplace aux systèmes continus.

Supposons qu'un signal continu $f(t)$ soit échantillonné à la période T. Il en résulte une série d'impulsions, également espacées de T, d'amplitude $f(0), f(T), \ldots, f(kT)$ apparaissant aux instants 0, T, $\ldots$, kT. Si on désigne par $\delta(t - kT)$ l'impulsion apparaissant à l'instant kT on peut écrire le signal échantillonné $f^*(t)$ sous la forme :

$$f^*(t) = f(0)\, \delta(t) + f(T)\, \delta(t - T) + \cdots$$
$$+ f(kT)\, \delta(t - kT) + \cdots \quad (1)$$

Si on prend la transformée de Laplace de cette équation, sachant d'après le tableau II que la transformée d'une impulsion à l'instant 0 est égale à 1 et que celle d'une impulsion à l'instant kT est égale à e^{-kTp} d'après le théorème du retard on a :

$$F^*(p) = f(0) + f(T)\, e^{-Tp} + \cdots + f(kT)\, e^{-kTp} + \cdots$$
$$= \sum_{n=0}^{\infty} f(nT)\, e^{-nTp} \quad (2)$$

L'inconvénient de cette expression est que la transformée de Laplace d'un signal échantillonné n'est pas une fraction rationnelle en p. C'est pour éviter cet inconvénient que l'on a introduit la transformée en z selon la règle suivante :

La transformée en z d'un signal s'obtient en posant $z = e^{Tp}$ dans l'expression de la transformée de Laplace du signal

---

(1) On ne considérera ici que des systèmes pulsés modulés en amplitude. La modulation d'amplitude est en effet la seule correspondant à une opération linéaire.

pulsé. Si on appelle F(z) cette transformée, on a donc immédiatement à partir de l'équation (2) :

$$F(z) = \sum_{n=0}^{\infty} f(nT)\, z^{-n} \qquad (3)$$

Deux remarques importantes peuvent être tirées des expressions (2) et (3) :

1) La transformée en z d'un signal $f(t)$ ne dépend que des valeurs prises aux instants d'échantillonnage. La relation (3) peut, par ailleurs, être utilisée de deux façons. Si on connaît $f(t)$ elle permet de calculer F(z). Elle permet également de déduire de F(z) les valeurs de la fonction aux instants d'échantillonnage puisque $f(kt)$ par exemple apparaît comme le coefficient de z^{-k} dans le développement de F(z) suivant les puissances croissantes de z^{-1}.

2) La transformation $z = e^{Tp}$ transforme le demi-plan gauche du plan de la variable de Laplace p en l'intérieur du cercle unité dans le plan de la variable z.

Un système continu, défini par sa fonction de transfert en p, étant stable si tous les pôles sont dans le demi-plan gauche, il en résultera qu'un système échantillonné défini par la transformée en z est stable si tous ses pôles sont à l'intérieur du cercle unité. Comme dans le cas des systèmes continus, à un pôle réel ou une paire de pôles complexes conjugués en z correspond un mode, donc une réponse temporelle, fonction de leur position dans le plan des z.

V. — Synthèse des servomécanismes échantillonnés

La synthèse d'un servomécanisme échantillonné, c'est-à-dire l'élaboration d'un compensateur per mettant de satisfaire les spécifications exigées, peut être envisagée de deux façons différentes, schématisées figure 26.

Dans le cas a) le bloqueur, situé après l'échantillonneur, reconstitue un signal continu. Le correcteur placé en cascade a alors pour but de modifier le lieu de transfert du système exactement comme dans le cas classique des systèmes continus. Dans une telle forme de commande, il apparaît mani-

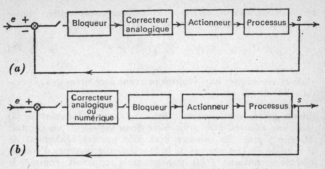

Fig. 26. — Compensation des systèmes pulsés

festement que l'on essaye de s'affranchir au plus vite du caractère échantillonné du signal d'écart.

Dans le cas de la figure *b)*, au contraire, le correcteur apparaît comme placé entre deux échantillonneurs synchrones. Au lieu de modifier le signal continu reconstruit par le bloqueur, comme dans le cas *a)* le rôle du correcteur est alors de modifier une séquence discrète de signaux en la transformant en une autre séquence plus appropriée avant de reconstruire le signal continu qui agit sur l'actionneur. Le correcteur peut être un réseau passif, ou actif mais de type analogique comme dans le cas *a)* mais qui est alors défini par sa fonction de transfert en *z*. Ce peut être aussi un élément de calculateur. La distinction est plus à faire sur le plan de la réalisation physique et des possibilités que sur le plan formel puisque à une fonction de transfert en *z* correspond une équation récurrente, l'opérateur z^{-1} agissant en effet comme un opérateur retard.

A une fonction de transfert du type :

$$\frac{S}{E} = F(z^{-1}) = \frac{a_0 z^{-1} + a_1 z^{-2} + a_2 z^{-3}}{1 + b_1 z^{-1} + b_2 z^{-2} + b_3 z^{-3}}$$

par exemple, correspond l'équation récurrente :

$$s(nT) + b_1 s(n-1)T + b_2 s(n-2)T + b_3 s(n-3)T$$
$$= a_0 e(n-1)T + a_1 e(n-2)T + a_2 e(n-3)T$$

qui permet de calculer s à l'instant nT en fonction des valeurs précédentes de s et de e.

Cette équation peut être calculée soit par l'intermédiaire d'un programme sur calculateur, soit directement par un « calculateur spécialisé », c'est-à-dire par un assemblage d'éléments retard, de mémoires et d'additionneurs.

Selon le cas le compensateur pourra être conçu soit de manière à imposer les modes du système bouclé, soit, pour une entrée donnée, de manière à imposer la réponse temporelle aux instants d'échantillonnage ou de faire en sorte que le système réponde dans le temps le plus court possible. Dans ce dernier cas, on peut éviter que n'apparaisse une oscillation continue entre les instants d'échantillonnage, au prix, en général, d'une augmentation du temps de réponse : c'est le problème de la synthèse des systèmes à « réponse plate » (encore connu sous le nom de *dead-beat*).

CHAPITRE VI

LA COMMANDE OPTIMALE

Les performances toujours plus grandes exigées des servomécanismes ont entraîné, un peu avant les années 50, une évolution importante des méthodes de la commande vers ce qu'il est convenu d'appeler la « commande optimale ». La pression exercée par la compétition économique ou, plus simplement, les nécessités de telle ou telle mission ont fait qu'il ne suffit plus, dans un certain nombre de cas, d'obtenir des performances correctes au sens des critères classiques de précision, de rapidité et d'amortissement. On exige de plus que le système de commande soit capable de rendre maximum ou minimum un certain critère.

Dans une industrie chimique e. g. on désirera non seulement que le produit fabriqué ait une qualité constante, on voudra également soit assurer une production maximum, soit minimiser le coût par tonne de produit, soit réaliser le meilleur compromis possible entre ces deux exigences si elles se révèlent contradictoires. Assurer le transfert d'une orbite à l'autre d'un satellite ou d'une capsule habitée d'une manière précise est certes nécessaire ; tout aussi fondamentale peut être la nécessité d'assurer ce transfert avec une consommation de combustible minimale : on sait combien dans l'espace le poids coûte cher et tout gramme d'hydrazine économisé signifie un gramme d'équipement scientifique ou d'oxygène supplémentaire ; mais on pourra aussi bien dans d'autres cas, si la question temps devient essentielle, comme par exemple dans une manœuvre de sauvetage spatial, accepter au contraire une consommation plus grande au profit de la rapidité de réponse.

I. — La fonction coût

La diversité de ces situations met en évidence que, comme dans tout problème de commande, le premier point à préciser est celui des performances à obtenir, c'est-à-dire ici celui de la fonction coût.

Il arrive que ce coût puisse s'exprimer mathématiquement d'une manière simple. C'est le cas de la commande en temps minimal, où il se réduit au temps mis par le système pour passer d'un état initial x_0 donné à un état final x_f imposé. Dès lors, l'on connaît les limitations pratiques qui s'exercent sur la commande, le problème est parfaitement défini.

Plus souvent, en particulier dans les problèmes de commande de processus industriels, la formulation d'une fonction de coût réaliste est beaucoup plus difficile car elle doit faire intervenir de nombreux facteurs, souvent contradictoires, et qu'il importe donc d'analyser, d'évaluer et de pondérer. A la limite, pour l'industriel qui désire automatiser ses unités de production, le but recherché est de gagner le plus d'argent possible. On conçoit combien, en termes d'*ingenierie*, une telle fonction de coût est difficile à formuler au niveau de la dynamique du processus. Il n'est pas question d'entrer ici dans des détails qui sont souvent cas d'espèce, si ce n'est pour insister sur la difficulté de ce problème qui demande une grande connaissance du processus et de son environnement, et qui ne peut se formuler que par une coopération étroite entre l'automaticien

et l'industriel, le plus souvent par retouches successives. Il y faut en tout cas beaucoup d'expérience.

Un moyen terme peut souvent être trouvé si on
se rappelle que le but d'un servomécanisme, qu'il
s'agisse d'un régulateur ou d'un système suiveur,
est de réduire la différence entre la sortie observée
et la sortie désirée. Les techniques de réglage de
gain n'avaient d'autre but en cherchant un compromis entre un système rapide mais avec dépassement
et oscillations et un système mou où l'écart variait
d'une manière monotone mais en se réduisant très
lentement. C'est donc sans doute moins une différence de principe qu'il y a le plus souvent entre
commande classique et commande optimale qu'une
différence de formulation et de méthodes.

Pour évaluer l'importance de l'erreur cumulée au
cours de la réponse, on pourrait envisager un critère
de la forme :

$$\int_0^{t_f} |\varepsilon| \, dt.$$

Un tel critère n'est pas en pratique retenu car
il a l'inconvénient de considérer de la même façon
une erreur très faible (qui peut être tout à fait
acceptable en pratique), mais persistant longtemps
et une erreur très importante (et de fait inacceptable) momentanée. Pour pénaliser plus fortement
les grandes erreurs que les petites on peut utiliser
un critère quadratique de la forme :

$$\int_0^{t_f} \varepsilon^2 \, dt.$$

Mais dans la pratique il ne suffit pas de commander le système de telle sorte que l'erreur soit
faible ; on peut toujours, en effet, imaginer qu'en
exerçant sur le processus une commande suffisamment rapide et énergique on puisse rendre un

critère tel que celui précédemment défini inférieur à une valeur donnée. Ce qui importe en pratique c'est donc un compromis entre la précision du système et le coût qu'il faut payer pour l'obtenir que l'on peut caractériser par l'énergie dépensée pour la commande, c'est-à-dire :

$$\int_0^{t_f} u^2 \, dt.$$

Selon les cas on sera amené à pondérer plus ou moins ces deux facteurs, selon l'importance qu'on leur donne, en adoptant un critère de la forme :

$$\int_0^{t_f} (k_1 \, u^2 + k_2 \, \varepsilon^2) \, dt.$$

Un tel critère n'est évidemment pas parfait. Il est malgré tout fréquemment utilisé dans la pratique, car, tout en ayant un sens physique indéniable, il se prête bien à des développements mathématiques en particulier pour des systèmes de commande asservis linéaires.

II. — Commande en temps minimal

Nous commencerons par un exemple simple, significatif de quelques propriétés des systèmes de commande optimale et utilisant les méthodes précédemment exposées.

Supposons que le but d'un système de commande soit de déplacer un véhicule d'une position initiale donnée s_0, où il se trouve à l'arrêt, à une position finale s_1 où il doit également se trouver à vitesse nulle, et ce dans le temps le plus court possible ; supposons de plus que les déplacements de ce véhicule, qu'on peut assimiler à une inertie pure (*i. e.* les frottements sont négligeables et il n'y a pas de force de rappel), soient obtenus en lui appliquant, dans un sens ou l'autre, une force variable mais limitée à des valeurs extrémales $\pm$ F.

On conçoit intuitivement la manière de procéder. On accélère le véhicule au maximum en lui appliquant la force totale disponible puis, à un certain moment, on freine au maximum en appliquant la même force mais en sens contraire de façon à arriver à vitesse nulle au point désiré.

Ceci appelle deux remarques :

D'abord le critère choisi, qui est un critère temps, peut être jugé fort mauvais d'un autre point de vue ; la manière de procéder ressemble en effet à celle de ces automobilistes circulant en ville qui entre deux feux rouges ne savent que mettre l'accélérateur au plancher pour ensuite peser sur le frein de toutes leurs forces. On sait d'expérience combien une telle conduite se répercute sur les facteurs consommation et usure.

Ensuite la qualité du résultat dépend de la précision avec laquelle on détermine l'instant où on « renverse la vapeur », toute erreur sur l'appréciation de cet instant se répercutant d'une manière très sensible sur les performances obtenues.

Envisageons donc le cas d'une charge se réduisant à une inertie pure qui est entraînée par un moteur comme dans le cas envisagé page 47. Toutefois le moteur n'est plus alimenté par une tension constante mais est branché sur un circuit de batterie par un commutateur à trois positions qui ne permet de lui appliquer que les tensions $+$ V, $-$ V ou 0. Il en résulte, si on admet que la constante de temps électrique du moteur est faible, que le couple disponible sur l'arbre de sortie ne prend également que trois valeurs $+$ C, $-$ C ou 0.

La charge se réduisant à une inertie pure, sa position est définie par l'équation différentielle :

$$\mathscr{C} = \mathscr{I}\theta''$$

c'est-à-dire :

$$\theta'' = \pm M \text{ ou } 0 \quad \text{avec} \quad M = C/\mathscr{I}$$

le signe étant défini par la position du relais.

L'intégration de cette équation permet, étant donné les conditions initiales θ_0, $\dot{\theta}_0$, de déterminer la position et la vitesse de la charge à tout instant.

$$\dot{\theta} = \pm Mt + \dot{\theta}_0$$

$$\theta = \pm \frac{1}{2} Mt^2 + \dot{\theta}_0 t + \theta_0.$$

Si on représente l'état du système (*i. e.* θ et $\dot{\theta}$) par un point dans le plan position-vitesse, l'élimination du temps entre les deux équations précédentes montre que ce point se déplace sur une parabole d'équation :

$$\dot{\theta}^2 - \dot{\theta}_0^2 = \mp 2M(\theta - \theta_0) \qquad (1)$$

Pour des sens différents les paraboles ont même paramètre mais leur concavité est opposée.

Supposons donc que le système soit à l'arrêt, en une position θ_0 prise pour référence nulle, et qu'on veuille l'amener en une position θ_1 à vitesse nulle.

Par suite de son inertie le système ne peut répondre instantanément et, au moment précis où on applique l'échelon, l'écart du système est égal à θ_1. L'application du couple — M tend toutefois à diminuer cet écart et le point représentatif de l'état du système décrit une parabole $M_0 A$. Si au temps t_A on renverse le sens du couple, en basculant le relais de commande du moteur, le mouvement se fera, à partir de cet instant, sur la parabole de l'autre famille AM_1 passant par A. On voit (sur la fig. 27) que pour passer par l'origine (écart nul, vitesse nulle), il faut que la commutation se fasse à l'instant bien précis correspondant au point C. Si l'ordre de commutation est donné prématurément

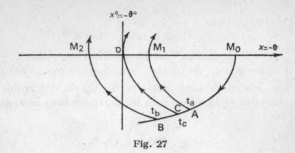

Fig. 27

ou au contraire trop tardivement on n'arrivera pas
à annuler l'écart. S'il est donné exactement au
temps t_c il suffira par contre de supprimer l'alimentation du moteur lorsque la charge aura une
vitesse nulle (en O) pour que le système conserve
une erreur nulle.

Le problème est donc de commander exactement
le basculement du relais et pour cela diverses solutions peuvent être envisagées. La première consiste
à commander le relais par un signal de la forme
$\theta + k\theta'$ (par des détecteurs de position et de
vitesse). Une telle réalisation ne serait toutefois
optimale que pour une seule valeur de l'amplitude
commandée, la réponse étant oscillatoire pour des
amplitudes plus fortes et suramortie pour des amplitudes plus faibles.

On pourrait améliorer les choses en choisissant
une loi de commutation de la forme :

$$2M\theta + \theta'^2 \operatorname{sign} \theta'$$

correspondant aux deux demi-paraboles passant
par l'origine. La réponse est alors optimale quelle
que soit l'amplitude de l'échelon. Encore faut-il
dire que ceci n'est valable que pour le type d'entrée
envisagé. Dans le cas général la seule solution

résidera dans le calcul des instants de commutation et la réalisation d'un dispositif assurant le basculement de la commande aux instants calculés. Des informations concernant l'entrée et l'état du système sont alors nécessaires et le calcul des instants de commutation est en général d'une complexité telle qu'un véritable calculateur sera nécessaire.

III. — Programmation dynamique

La méthode utilisée pour résoudre le problème précédent n'est pas véritablement typique des méthodes de la commande optimale. Le plus souvent on a besoin de faire appel à des outils mathématiques différents de ceux utilisés jusqu'à présent, qui seront souvent ceux de la recherche opérationnelle, comme les méthodes variationnelles, celles de la programmation linéaire ou non linéaire, celles de la programmation dynamique...

On se limitera ici à donner une idée de deux de ces méthodes dont la première est précisément fondée sur la programmation dynamique et la seconde connue sous le nom de principe du maximum.

Les méthodes de la programmation dynamique conçues par Bellman partent du principe d'optimalité selon lequel, si une trajectoire AB ... KLM est une trajectoire optimale, en m étapes, du point A au point M, la trajectoire LM est la trajectoire optimale de L à M, KLM celle de K à M... En d'autres termes, à un instant donné, quelles que soient les décisions antérieures prises, et par conséquent quel que soit l'état où se trouve le système à cet instant, on devra agir ensuite d'une manière optimale.

Afin de faire comprendre l'idée des méthodes qui résultent d'un tel principe on envisagera d'abord un cas simple, qui peut sembler *a priori* loin des problèmes de commande tels qu'ils ont été abordés jusqu'à présent mais dont nous verrons qu'il est en fait très proche.

Supposons par exemple qu'on cherche à passer le plus économiquement possible d'un point A à un point B dans un réseau à quatre étapes. A chaque étape on peut prendre trois décisions en empruntant dans le graphe de la figure 28 trois chemins possibles correspondant aux branches mon-

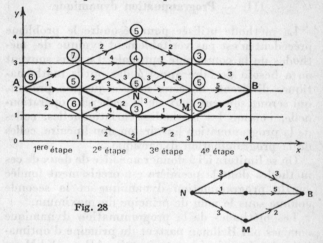

Fig. 28

tante, horizontale ou descendante, chacun de ces chemins étant affecté d'un certain coût indiqué sur la flèche.

On pourrait pour ce faire envisager tous les chemins possibles et calculer le coût correspondant, dans chaque cas. Dans le cas présent ce serait possible puisqu'il n'y aurait que 27 cheminements à envisager. On conçoit bien pourtant qu'une telle opération est impossible dans le cas général d'un processus à N étapes où q décisions sont possibles à chaque étape. Le nombre de cas possibles à examiner augmente en effet incroyablement vite. Ainsi pour $q = 3$ comme dans notre cas ce nombre approche 20 000 pour 10 étapes. Pour 20 étapes il dépasse 10^9. Toujours pour 20 étapes si 10 décisions sont possibles à chaque fois on arrive à un nombre total de 10^{19}. C'est-à-dire que si un calculateur pouvait calculer 10 000 cas en une seconde il lui faudrait plus de 3 000 siècles pour envisager tous les cas possibles !

L'utilisation de la programmation dynamique va permettre de réduire considérablement le nombre de cas à envisager.

Supposons en effet qu'on se place à la dernière étape. On peut arriver au point B de trois façons différentes, à partir des points de coordonnées (3,3) (3,2) ou (3,1) en payant les coûts respectifs 3, 5, 2, coûts que l'on indique au niveau des nœuds.

Si on se place maintenant à l'étape précédente, par exemple au point N (2,2), trois chemins sont possibles pour arriver en B. Pour deux d'entre eux le coût est égal à 6, pour le 3e il est égal à 5. C'est le chemin optimal de N à B et le coût correspondant est affecté au nœud N. En procédant ainsi pour tous les nœuds, en ne retenant à chaque fois que le coût optimal et en remontant les étapes, on trouve immédiatement le coût minimum de A à B (égal à 6), et le chemin optimal, tracé en trait plus épais sur le graphe de la figure 28 ; on obtient en même temps le chemin optimal à partir de tout nœud du réseau. C'est ainsi que si, pour une raison ou une autre, on se trouve par exemple au point N à la fin de la 2e étape, le meilleur chemin est alors NMB.

Cette idée d'une prise de décisions séquentielles s'applique tout à fait à la commande, dès lors que, et ce sera le cas dans les problèmes de commande par calculateurs, on suppose le temps quantifié.

Imaginons en effet que l'intervalle de temps pendant lequel on veut commander le processus soit partagé en sous-intervalles, d'amplitude T, au début de chacun desquels on exercera la commande. Le problème est de trouver la séquence de N commandes optimales à prendre $u^*(0). u^*(T) \ldots$

Lors de la première étape, partant d'un état X_0 donné, on peut imaginer d'appliquer au système toutes les commandes admissibles possibles :

$$u_0^1, u_0^2, \ldots, u_0^r.$$

Le système évoluera évidemment différemment selon la commande appliquée, c'est-à-dire qu'à l'instant T il se trouvera dans un état x_1^r dépendant de u_0^r par l'intermédiaire de l'équation de transition (1) qui s'écrit ici :

$$x_1^r(T) = Mx_0 + Nu_0^r.$$

(1) Equation 6 du chapitre IV.

A chacune de ces commandes correspond pour cette première étape un certain coût élémentaire $q_1^r(x_1^r, u_0^r)$.

Si donc on connaît la commande optimale et le coût minimum permettant d'aller, en les $n-1$ étapes restantes, d'un état x donné à l'état final, soit $Q_{n-1}(x)$, on pourra déterminer la commande optimale dans la première étape en minimisant par rapport à u_0 la quantité :

$$Q_{n-1}(x) + q_1(x_1\, u_0)$$

qui représente le coût global.

Si on procède à rebours, à partir de l'état final, on se trouve donc dans les mêmes conditions que dans le premier exemple traité ; la seule différence en pratique est qu'à chaque étape on peut avoir un nombre de décisions important à prendre, selon la quantification qu'on a fait de la commande, et que le nombre des étapes à suivre, qui dépend du pas d'échantillonnage choisi, peut être lui-même très grand. Les calculs seront donc en général considérables. Par contre aucune hypothèse restrictive n'est imposée tant sur la nature du système que sur celle du critère.

IV. — Principe du maximum

Le principe du maximum de Pontriaguine est une méthode basée sur le calcul des variations dont nous essayerons ici de dégager le principe en évitant, autant que faire se peut, des développements mathématiques trop complexes.

Le problème que l'on se pose est le suivant : un système étant défini par les équations d'état :

$$\dot{x} = f(x, u) \tag{2}$$

on désire trouver une commande admissible u^*, c'est-à-dire satisfaisant certaines contraintes, permettant, à partir d'un état initial donné x_0, d'atteindre un état final x_f en minimisant un certain critère :

$$Q = \int_0^{t_f} q(x, u)\, dt.$$

On peut donner une interprétation géométrique du problème posé en introduisant une variable d'état supplémentaire x^* telle que :

$$\dot{x}^* = q(x, u).$$

Si en effet on considère le vecteur $\tilde{x}$ constitué en ajoutant au vecteur initial x la composante supplémentaire x^*, la solution du système différentiel :

$$\tilde{\dot{x}} = \begin{bmatrix} \dot{x} \\ \dot{x}^* \end{bmatrix} = \begin{bmatrix} f(x, u) \\ q(x, u) \end{bmatrix}$$

peut être visualisée comme à la figure 29 dans le cas où le vecteur x n'a que deux composantes. Le

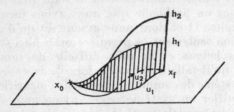

Fig. 29. — Interprétation géométrique du principe du maximum

problème est donc de trouver la commande admissible u^* minimisant la distance $x_f\, h_1$ qui représente la valeur du critère à l'instant final.

Pontriaguine a montré que cette valeur pouvait s'obtenir en maximisant (d'où le nom du principe) une fonction hamiltonienne H définie par :

$$H = q + p_1 f_1 + p_2 f_2 + \cdots + p_n f_n \tag{3}$$

où les f_i sont les diverses composantes de la fonction vectorielle f et les p_i les composantes d'un vecteur dit vecteur adjoint, reliées aux variables d'état initiales par les équations différentielles partielles :

$$\frac{dx_i}{dt} = \frac{\partial H}{\partial p_i} \quad \text{et} \quad \frac{dp_i}{dt} = -\frac{\partial H}{\partial x_i} \tag{4}$$

Chapitre VII

L'IDENTIFICATION

Il est temps maintenant de revenir plus longuement sur un problème que nous avons mentionné au chapitre II et dont nous avions dit qu'il constituait non seulement la première mais bien souvent la plus longue et la plus difficile de toutes les étapes qu'il fallait parcourir lors de la conception d'un système de commande : celui de l'identification.

Identifier un système, c'est, avons-nous dit, en donner un modèle mathématique, c'est-à-dire une description qualitative et quantitative, plus ou moins exacte et plus ou moins élaborée, qui peut être simplement à la limite un graphique ou un tableau comme au contraire un ensemble très complexe d'équations différentielles et algébriques.

Il peut sembler paradoxal que ces problèmes d'identification n'aient pendant longtemps reçu que peu d'attention. Car enfin, si nous disons qu'il s'agit là de la pierre d'angle de tout système de commande, c'est aussi vrai dans toute activité scientifique. Il ne s'agit rien moins que d'un problème de connaissance et depuis fort longtemps l'homme a essayé de comprendre le fonctionnement de ce qui l'entoure et de l'interpréter sous forme de modèles.

I. — Les problèmes de l'identification

Il faut remarquer cependant que les démarches suivies par un physicien et un automaticien sont, en essence, différentes. Pour le physicien, pour le chimiste, l'obtention d'un modèle est pratiquement une fin en soi. Son objectif essentiel est de trouver une représentation qui explique le plus de faits possible. Ce qu'il recherche, c'est surtout une connaissance interne. Pour l'automaticien au contraire ce qui est important, c'est une connaissance externe, une connaissance de comportement, de relation avec le milieu extérieur. En ce sens, sa démarche diffère beaucoup de celle du physicien et, toutes proportions gardées, leurs intérêts diffèrent autant que ceux d'un anatomiste et d'un sociologue. Bien plus, pour l'automaticien, l'identification ne peut être une fin en soi ; ce n'est qu'une étape vers la réalisation d'un système de commande, dont le but essentiel est de permettre la réalisation des performances imposées. C'est selon que le système de commande permettra ou non de satisfaire à ces performances que le modèle sera jugé bon ou mauvais et l'identification ne peut se concevoir pour lui en dehors du but poursuivi.

Sa préoccupation essentielle est donc que le modèle réponde à un propos clairement défini et que, dans ce cadre, il permette de satisfaire les performances demandées de la manière la plus simple et la plus économique possible. On n'aura évidemment pas besoin du même modèle selon que le but assigné est de réaliser simplement un régulateur stable ou au contraire un système de commande optimale. Dans le premier cas un modèle très simple, dont les paramètres peuvent n'être connus qu'assez imprécisément sera suffisant. C'est ainsi par exemple que de nombreux processus industriels, mettant en jeu des phénomènes physiques fort complexes, de conduction de chaleur par exemple, peuvent être représentés par des fonctions de transfert très simples, dès lors qu'on n'a en vue qu'une simple régulation : dans de nombreux cas une fonction de transfert incluant un retard pur et deux ou trois constantes de temps suffisent et les méthodes d'identification peuvent alors être très simples.

Dans le second cas on aura besoin, au contraire, d'un modèle plus évolué, incluant un nombre de variables beaucoup plus grand et dont les paramètres devront être connus précisément.

C'est du reste dans la reconnaissance de cette adéquation du modèle au but poursuivi qu'il faut chercher la raison pour laquelle le problème de modélisation est resté longtemps un problème mineur pour les automaticiens beaucoup plus que dans des raisons historiques.

La recherche effective d'un modèle procède en plusieurs étapes dont la première, qualitative, consiste en la détermination de la structure du modèle.

L'analyse des phénomènes dont un processus est le siège, et leur mise en équations par application des lois de la physique permettent théoriquement de bâtir ce premier modèle. C'est ce qui a été fait au chapitre III pour le système constitué par un moteur et sa charge. Bien que, contrairement à ce qui a été dit plus haut, cette analyse soit de nature plus interne qu'externe, on ne peut pas dire que le but final du servomécanisme ait été oublié si, lors de la mise en équation, on prend soin de faire porter son intérêt sur les éléments dont on sait par expérience qu'ils sont les plus importants et si au contraire on néglige les autres. La finalité du système de commande, la rapidité qui en est exigée, et une appréciation des propriétés fréquentielles des perturbations qu'il rencontrera peuvent permettre, dès ce stade, de ne retenir que les éléments pertinents au problème.

En fait, dans la pratique, cette voie, qui procède d'une analyse mathématique interne, n'est guère applicable que pour des systèmes dynamiques simples (1).

Dans le cas de systèmes plus compliqués, en particulier des processus industriels, elle conduit à des modèles d'une complexité bien trop grande en regard du but poursuivi ; c'est en particulier ce qui se passe avec des processus mettant en jeu des phénomènes de chaleur ou de diffusion, représentables, non plus par des équations différentielles ordinaires mais par des équations aux dérivées partielles.

Tout au plus servira-t-elle alors à compléter l'information *a priori* que l'on a sur le processus et permettra-t-elle de valider l'hypothèse faite sur la classe de systèmes à l'intérieur de laquelle on recherchera le modèle : systèmes linéaires ou non linéaires, types de non-linéarités...

Il faudra donc faire des expériences réelles sur le processus, en observant les réponses obtenues. Cette phase expérimentale guidera dans le choix de la structure et permettra surtout d'affecter des valeurs numériques aux paramètres retenus.

II. — Les méthodes

1. L'analyse harmonique. — Une des plus anciennes méthodes, en liaison directe avec les notions de fonction de transfert, est constituée par l'analyse

---

(1) Elle peut pourtant être essentielle si l'expérimentation sur le système à commander est difficile, voire impossible, comme dans le cas de la commande d'un engin instable.

harmonique. On a vu, en effet, que pour une entrée sinusoïdale à la pulsation ω la sortie d'un système linéaire était également sinusoïdale en régime permanent et que le rapport d'amplitude et le déphasage existant entre les signaux de sortie et d'entrée étaient égaux respectivement au module et à la phase de la fonction de transfert. La mesure expérimentale de ces deux quantités permet donc de déterminer les courbes d'amplitude et de phase en fonction de la fréquence et par conséquent le lieu et la fonction de transfert. Ces méthodes ont été beaucoup utilisées pour déterminer les transmittances de systèmes électriques ou mécaniques, en particulier en aéronautique dans les années 50. Il ne faut pas en mésestimer malgré tout les inconvénients qui tiennent essentiellement à la longueur de l'expérimentation, à la nécessité de pouvoir obtenir un régime permanent stable (ce qui suppose que le système n'est pas trop perturbé) et à la possibilité d'exciter suffisamment le système.

2. Les réponses unitaires. — L'examen de la réponse d'un système soumis à une excitation en échelon peut permettre également, lorsqu'une telle excitation est possible, de préciser approximativement la fonction de transfert du système et ses paramètres. On a vu en effet au chapitre III que pour les systèmes du premier et du deuxième ordre les paramètres de la fonction de transfert étaient liés à certaines caractéristiques de la réponse unitaire (fig. 9 et 10).

Bien souvent, dans le cas des processus industriels mettant en jeu des phénomènes lents et amortis, l'allure de la réponse unitaire suggère l'adoption d'un modèle incluant un retard pur et un certain nombre de constantes de temps. On peut même souvent rendre compte de la réponse en supposant toutes les constantes de temps égales, c'est-à-dire en adoptant une fonction de transfert de la forme :

$$\frac{Ke^{-\tau p}}{(1 + Tp)^n}.$$

Cette caractérisation étant admise, le problème d'identification est de déterminer les paramètres τ, T et n. Strejc a proposé une méthode très simple basée sur la seule connaissance des instants t_1 et t_2 définis à partir de la tangente au point d'inflexion P de la courbe et de la valeur atteinte par la sortie en ce point (1).

3. Identification paramétrique. — Lorsque l'allure de la réponse est plus complexe et ne permet pas d'une manière simple de préciser l'ordre de la

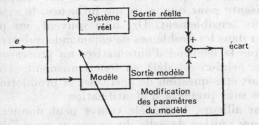

Fig. 30. — Principe
de l'identification paramétrique

fonction de transfert et les valeurs de ses paramètres, on peut recourir à une méthode d'identification dont le principe est visualisé à la figure 30 et qui ramène en partie le problème de l'identification à celui de l'optimisation paramétrique.

(1) On peut également utiliser les instants auxquels le système a répondu à 5 % et 95 %.

Dans cette méthode une même entrée e est appliquée au système réel et à un modèle mathématique dont on a précisé la structure mais dont les coefficients restent à déterminer. Si on compare la sortie du modèle à la sortie réelle, l'écart observé donne une idée de la mesure dans laquelle le modèle représente le système. On pourra donc utiliser ce signal d'écart pour faire varier les paramètres du modèle de façon à minimiser cette différence, ce qui peut se faire de nombreuses façons (fonction de sensibilité, méthodes variationnelles...).

4. Méthodes par corrélation. — L'inconvénient majeur des méthodes précédentes utilisant des signaux d'excitation déterministes, en échelon ou autre, est qu'on ne peut en espérer un minimum d'information que si le signal a une amplitude suffisante pour que, sous son influence, le système évolue sensiblement. Or, bien souvent, en particulier dans les problèmes de commande industrielle, lorsque la décision d'automatiser un processus est prise, celui-ci est déjà en fonctionnement et il ne saurait être question de perturber la production en cours sous prétexte d'identification.

Par ailleurs, le modèle trouvé peut donner une réponse voisine de celle du processus pour l'entrée qu'on a utilisé au moment de l'identification, sans qu'on soit assuré que le modèle restera valable pour des entrées de nature différente. Bien plus, un servomécanisme, devant par principe maintenir le signal d'erreur aussi petit que possible, fonctionne, s'il est bien conçu, à un niveau d'amplitude faible ; l'identification faite à partir d'une excitation importante peut alors donner une fausse idée du système, par exemple en cachant l'existence de seuils dont l'influence est faible sur un signal de forte amplitude mais qui prennent une importance relative beaucoup plus grande en fonctionnement normal ou, au contraire, en introduisant des phénomènes de saturation qui ne se produiront plus ensuite.

C'est pour remédier à ces inconvénients qu'on a mis au point de nombreuses méthodes d'identification n'utilisant, comme signaux d'excitation, que des signaux de très faible amplitude que l'on appelle communément des bruits. Ces méthodes, sur lesquelles nous n'insisterons pas car elles conduisent le plus souvent à des développements mathématiques importants, sont fondées sur le fait que la fonction de transfert H(p) du système ou, ce qui revient au même, sa réponse impulsionnelle $h(t)$ peuvent être calculées à partir des fonctions de corrélation entrée-entrée, et entrée-sortie selon la relation :

$$\varphi_{es}(\tau) = \int_0^\infty h(u)\, \varphi_{ee}(\tau - u)\, du.$$

La détermination de $h(t)$ à partir de cette relation n'est évidemment pas toujours simple. On peut cependant se simplifier la tâche en choisissant convenablement le signal de bruit. On peut par exemple prendre un bruit blanc, c'est-à-dire un bruit ayant un spectre d'énergie constant, auquel cas φ_{ee} est constant. On peut également prendre un bruit tel que φ_{ee} soit impulsionnel, auquel cas l'équation précédente se réduit à :

$$\varphi_{es}(\tau) = h(\tau).$$

Bien évidemment il ne s'agit là que de cas théoriques idéaux et pas plus un bruit blanc qu'un bruit de spectre impulsionnel ne sont réalisables exactement. De plus, la détermination de la fonction de corrélation croisée $\varphi_{es}(\tau)$ pose de nombreux problèmes non seulement quant au choix de la fréquence d'échantillonnage et de la durée de l'expérience qu'au niveau du calcul proprement dit. Si les méthodes connues sous le nom de « Transformée de Fourier Rapide » ont permis récemment de diminuer considérablement le temps de calcul, il n'en reste pas moins que ces méthodes nécessitent encore, à l'heure actuelle, des moyens de calcul importants.

Chapitre VIII

ÉVOLUTION DE LA COMMANDE
DES SYSTÈMES ASSERVIS :
LA COMMANDE HIÉRARCHISÉE

I. — Généralités

Si les techniques de l'automatique ont été long-temps appliquées à la commande de systèmes relativement simples, leur extension à la commande de processus complexes, en particulier de processus industriels ou même économico-industriels est, sans nul doute, une des caractéristiques de l'évolution actuellement constatée. Cette évolution, liée à la généralisation de l'utilisation des calculateurs dans les chaînes de commande d'une part, à la conjonction des méthodologies de l'automatique, de l'informatique et de la recherche opérationnelle d'autre part, entraîne une modification sensible des problèmes de commande, tant au niveau de la complexité des modèles qu'à celui des fonctions de commande à assurer.

Considérer le problème comme un tout, envisager une stratégie globale incluant, à quelque niveau qu'ils se placent, tous les problèmes de commande, devient dès lors une gageure.

Certes, s'il était possible de disposer des capteurs nécessaires, si on n'avait à se préoccuper d'aucune contrainte, d'aucune limitation, ni de temps ni de moyens, on pourrait sans doute imaginer théoriquement une solution globale. Mais en pratique, le coût de la réalisation, qu'il s'agisse de celui de la réalisation industrielle ou technologique proprement dite ou celui des études, de la conception des algorithmes et de leur mise en œuvre, est un critère, au même titre et souvent plus que les autres.

Une solution peut être de chercher au contraire à résoudre le problème en le divisant en sous-problèmes plus simples, c'est-à-dire à commander le système à des niveaux de complexité croissants. C'est la voie suivie par la *commande hiérarchisée*.

On regroupe généralement sous le vocable de commande hiérarchisée deux notions qui, malgré leur interdépendance pratique, présentent une originalité propre dans la mesure où, ainsi qu'on le verra plus loin, elles reviennent à donner une importance plus particulière aux niveaux de commande proprement dits ou aux niveaux de commande fonctionnels.

Très schématiquement, le premier cas s'applique surtout à des problèmes où la fonction de commande est bien définie, mais où la complexité du processus, au sens de taille du modèle qui le représente, est telle qu'une solution globale ne peut être envisagée sur le plan pratique. Ce sera le cas, par exemple, des problèmes de commande optimale de gros systèmes, comme ceux que l'on rencontre en pétrochimie. L'idée de base sera de définir, à partir du système et de l'objectif globaux, un ensemble de sous-problèmes liés à la définition de sous-systèmes et de sous-objectifs. Les problèmes principaux à résoudre sont ceux de coordination et, à la limite, si on ne considère que des problèmes *off-line*, on a affaire plus à du calcul hiérarchisé qu'à de la commande hiérarchisée.

Dans le deuxième cas, à la complexité du modèle, s'allie la complexité des fonctions de commande à assurer. C'est, par exemple, le cas de l'automati-

sation de processus industriels complets, du traitement des produits bruts à la gestion des produits
finis, incluant la commande de processus dynamiques, la fabrication, le stockage, le contrôle de
qualité, les sécurités... Les différences entre les
fonctions à assurer lors de ces diverses étapes, entre
les perturbations qui peuvent s'y appliquer, les
fréquences nécessaires d'application de la commande, l'importance plus ou moins grande des
risques liés à un malfonctionnement..., exigent que
le problème de la commande associé à chaque

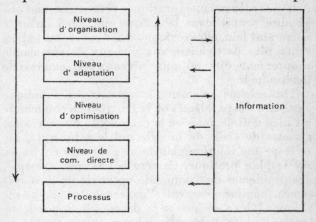

Fig. 31. — Commande hiérarchisée
Notion de niveaux de commande fonctionnels

fonction et à chaque type de perturbation soit
traité comme un problème propre. Cette décompo-
sition du problème requiert évidemment en retour
une coordination pour que l'objectif global soit
atteint.

On verra alors que la structure du système de
commande est celle indiquée figure 31, et on parlera

de niveaux de commande fonctionnels. Les problèmes les plus importants seront ceux d'information (de transfert et de condensation) de façon qu'à tous les stades de la décision on puisse disposer d'informations présentées sous la forme la plus efficace possible et de coordination afin que les fonctions exercées aux divers niveaux le soient d'une manière « harmonieuse ».

II. — Niveaux de commande fonctionnels

Nous n'envisagerons ici que le cas d'une hiérarchie fonctionnelle qui présente l'avantage d'être facilement compréhensible sans avoir recours à une formulation mathématique et d'être, en même temps, essentielle dans la conception d'un système de commande intégrée.

Par suite des différences qui existent entre les fonctions à assurer et les perturbations qui affectent le système, la commande est conçue à divers niveaux. La définition abstraite des niveaux de commande, telle qu'indiquée figure 31, à savoir :

— niveau de commande proprement dite ;
— niveau d'optimisation ;
— niveau d'adaptation ;
— niveau d'organisation ;

ne pourra toutefois servir de guide pour la résolution de problèmes pratiques que si leurs fonctions et leurs liaisons, soit entre eux, soit avec l'information, sont mieux précisées.

1. **Principes fondamentaux.** — Il n'est sans doute pas inutile de rappeler ici quelques principes fondamentaux qui régissent toute hiérarchie de commande.

Le premier est qu'il est impératif d'agir sans retard lors d'une prise de décision, mais qu'il est tout aussi important de bien comprendre le problème pour déterminer, en toute connaissance de cause, la décision à prendre. Cela suppose qu'à tous les stades de la décision on disposera des informations présentées sous la forme la plus efficace possible. Si on tient compte de ce que, en remontant les niveaux d'une hiérarchie, on est amené à considérer une partie de plus en plus grande de l'organisation et ce d'un point de vue de plus en plus général, le problème de la description du processus et de ce qu'on veut en obtenir est fondamental. En d'autres termes, on est amené à représenter le système global par une famille de modèles, chacun caractérisant le fonctionnement vu d'un niveau d'abstraction différent.

Le choix de ces niveaux dépend évidemment, dans une certaine mesure, de l'observateur, *i. e.* du contexte dans lequel le système est vu. Ainsi, en remontant la hiérarchie, on devrait voir prédominer successivement les points de vue du physicien, de l'automaticien, de l'économiste. Chaque niveau a donc son vocabulaire, sa modélisation et ses principes. D'une façon générale, plus on descend les niveaux de la hiérarchie, plus on détaille la représentation, et meilleure est la connaissance du comportement final du système. Plus on les remonte, plus la compréhension est globale et synthétique.

Le deuxième principe, en fait lié au premier, est que les diverses fonctions de commande sont réparties entre les niveaux selon leur nature et la fréquence à laquelle l'action doit être exercée. D'une manière générale, le premier niveau sera directement connecté au processus, et servira en fait d'interface entre le processus et les niveaux de commande supérieurs. Il en résulte en particulier que ce premier niveau devra être capable d'agir sur le processus dans le même domaine de temps que sa dynamique propre. Par contre, plus on montera dans la hiérarchie, plus la fréquence d'intervention deviendra faible. On verra ultérieurement plus en détail les conséquences d'une telle répartition, mais d'ores et déjà, on peut en imaginer les répercussions sur la nature et la complexité des algorithmes à utiliser à chaque niveau et même sur les exigences qui en résultent au niveau du *software*. Dans le même ordre d'idées (car la notion de commande est liée à celle de perturbations), les perturbations se répartissent entre les divers niveaux en fonction de leur fréquence d'occurrence.

Le troisième principe, lié aux précédents, est que les divers niveaux sont hiérarchiquement liés entre eux au sens de la priorité d'action, la décision d'un niveau imposant la politique à suivre par les niveaux

sous-jacents et leur fournissant les éléments indispensables à leur action.

Si le premier niveau de commande directe a, par
exemple, pour charge de commander le système de
façon à maintenir, en dépit des perturbations, les
sorties pertinentes à certaines valeurs de consigne,
ces valeurs sont déterminées par le niveau supérieur
de façon à optimiser un certain critère sur la base
d'un « modèle » du processus. Ce modèle pourra
lui-même être réactualisé par un niveau supérieur
pour tenir compte des paramètres évolutifs du
système, comme par exemple le vieillissement d'un
catalyseur dans une réaction chimique...

Toutefois, cette action directe d'un niveau sous
les niveaux sous-jacents n'est pas la seule possible ;
elle peut se faire et se fera également en général
indirectement par l'intermédiaire de l'information
commune de base.

2. Répartition des fonctions. — Sur la base de
ces principes il est possible de préciser les fonctions
exercées par les divers niveaux représentés figure 31.

Le premier niveau est essentiellement caractérisé
par le fait qu'il agit directement sur le processus
à commander. De ce fait, il agit dans une gamme
de fréquence qui est celle correspondant à la dynamique du processus, que la commande soit ici
numérique ou analogique. Il pourra s'agir par
exemple de générer les commandes u pour que les
sorties y du processus suivent des trajectoires imposées ou, en régulateur, pour qu'elles soient main-
tenues à des points de consigne en dépit des perturbations. Il pourra aussi bien ne s'agir que d'un
programme séquentiel mettant en œuvre divers
équipements.

Dans tous les cas, parallèlement à cette tâche de

commande, le premier niveau a un rôle important dans la collecte de l'information au niveau des variables du processus, information qui peut être de plusieurs types : information sur les grandeurs, continues ou échantillonnées, intervenant dans la commande directe du processus, information sur le début et la fin de chaque phase de fonctionnement dans un cycle séquentiel, information relative à la détection de situations anormales dues à des défaillances du matériel ou à un mauvais fonctionnement du système. En ce sens, le premier niveau assure l'interface entre le processus et le système de commande.

Le deuxième niveau a pour but de préciser le problème que le premier niveau doit résoudre, en lui fixant par exemple les valeurs des points de consigne par rapport auxquels il va opérer. Ces points de consigne seront en général déterminés de façon à optimiser un certain critère sur la base d'un modèle supposé du processus et c'est pourquoi ce niveau est souvent appelé niveau d'optimisation. On pourra noter également que ce problème d'optimisation peut, dans un contexte réaliste, être considérablement simplifié si le premier niveau de commande remplit correctement son but. Si, par exemple, les chaînes y sont suffisamment raides, le deuxième niveau pourra considérer qu'il a affaire à un système statique et non plus dynamique.

Si plusieurs modes de fonctionnement ont été envisagés (normaux ou anormaux), le rôle du deuxième niveau peut être plus complexe. En cas de détection de situation anormale, e. g. il est chargé de mettre en œuvre la procédure d'urgence préétablie en court-circuitant le mode de fonctionnement normal.

Le troisième niveau est un niveau d'adaptation, ce terme étant pris au sens large. Un de ses buts

essentiels est d'estimer et de renouveler les paramètres intervenant dans les modèles utilisés par les
niveaux inférieurs en fonction du comportement
réel du processus.

Le quatrième niveau est enfin un niveau d'organisation dont les décisions vis-à-vis des niveaux
inférieurs sont prises au minimum sur la base d'une
évaluation du comportement et de l'objectif globaux
du système et qui, très souvent, assurera la coordination des divers systèmes. C'est à ce niveau que
sont définis les algorithmes utilisés aux niveaux
inférieurs et qu'il est fait le choix des divers modes
de fonctionnement.

3. Avantages attendus. — Quels peuvent être les
avantages que l'on peut attendre d'une approche
hiérarchisée telle qu'elle a été succinctement décrite
dans les paragraphes précédents ? Nous tenterons
de les expliciter ici, sinon dans l'ordre de leur
relative importance, du moins dans celui qui nous
semble le plus logique.

— *Meilleure analyse du problème.* — On a vu
que, formellement, le principe de la commande
hiérarchisée était de répartir les fonctions de commande en divers niveaux, de la commande en ligne
du processus au management de tout le système.
Cette reconnaissance des diverses fonctions est fondamentale dans la mesure où :

— contribuant toutes à l'efficacité du système
   global (1), il ne saurait être question d'en
   négliger une ;

(1) C'est sans doute à la méconnaissance de ces faits que doivent être
attribués nombre de déboires rencontrés en commande de processus
complexes, où, très souvent, seule une partie des niveaux (le plus
souvent les premiers, parfois les derniers) a été considérée. Consacrer
tout l'effort aux premiers niveaux, par exemple à la formulation
d'un modèle et à son optimisation, est très irréaliste sur le plan
industriel, sauf peut-être pour des systèmes très simples.

— étant liés, les problèmes d'information et de coordination seront les plus importants.

La seule considération des niveaux de commande permettra une approche bien plus saine :

— en obligeant à examiner les divers problèmes qui se posent, à quelque niveau qu'ils soient et en amenant à les sérier ;

— en obligeant à tenir compte, dès le départ, de leurs interrelations et des moyens de les coordonner ;

— en faisant réaliser qu'il vaut mieux répartir les efforts (d'analyse ou de conception, en moyens de calcul...) entre les divers niveaux et par là même en permettant une meilleure utilisation des moyens.

— *Adaptation des méthodes et des algorithmes.* — A chaque niveau, on pourra, dans une certaine mesure, associer des méthodes et des techniques différentes. Schématiquement, ces méthodes seront celles de la commande classique, séquentielle ou asservie, analogique ou numérique au premier niveau ; au second, ce seront celles de l'optimisation (programmation linéaire et non linéaire, programmation dynamique...). Au troisième niveau, qui est celui de l'adaptation, ce seront les méthodes d'identification, de reconnaissance des formes et d'une manière générale un ensemble de méthodes statistiques ; au dernier niveau, ce seront celles de la recherche opérationnelle et de l'ordonnancement.

— *Meilleure conception du* software. — Cette spécificité des méthodes et des algorithmes entre les divers niveaux est particulièrement importante dans l'optique où la commande s'effectue en grande partie par voie numérique, car elle réagit directement sur la conception du *software*. Que faut-il entendre par là ?

On a dit que le premier niveau est essentiellement en charge de l'acquisition de données et de la commande en ligne du processus. Ceci implique que le calculateur puisse directement communiquer avec le processus, soit pour renouveler les informations, soit pour agir sur lui, de façon à répondre aux perturbations usuelles ou à tout autre événement extérieur. Globalement parlant, il aura affaire à des opérations simples, mais qui peuvent être très nombreuses car le nombre de variables considéré peut être très grand, et doivent être effectuées en temps réel. Ceci exigera des programmes particulièrement efficients mais qui, en large part, ne dépendent pas strictement du processus envisagé (lissage des données, filtrage, algorithmes DDC...). Certaines estimations (Pike ou Schœffler par exemple) chiffrent à 20 % seulement la partie correspondante du *software* dépendant du processus envisagé.

Le deuxième niveau qui en fait précise le travail du premier (optimisation, détermination des valeurs de consigne ou des procédures de passage d'un type de fonctionnement à un autre), a en charge des opérations qui, si elles sont effectuées moins souvent, sont plus complexes et surtout dépendent beaucoup plus du processus particulier envisagé dans une proportion qui dépasse 50 % et peut atteindre 90 %.

Ces caractéristiques (fréquence moindre, sensibilité au processus) se retrouvent au troisième niveau où les algorithmes à mettre en œuvre (identification, évaluation des paramètres et des conditions de fonctionnement) restent très dépendants du processus (50 % toujours selon Pike).

La situation se renverse au quatrième niveau qui est un niveau de management, où l'essentiel des opérations à effectuer est des opérations de gestion de fichiers, de données... qui peuvent être en large part effectuées par des programmes standards.

— *Adaptabilité*. — L'approche hiérarchisée doit permettre également une meilleure adaptabilité du système de commande à des conditions changeantes. Dans cette optique, en effet, la zone d'influence de modifications éventuelles d'un sous-processus est facile à localiser et peut être aisément prise en compte sans avoir à reprendre tout le problème. Un des cas où cette propriété a été le mieux mise à profit est celui de la commande de réseaux électriques interconnectés.

On imagine toute l'importance de ce caractère si on veut bien reconnaître qu'un système industriel complexe est quelque chose d'assez évolutif qui se développe par adjonction d'unités nouvelles et suppression d'autres. Bien plus, l'approche hiérarchisée permettra une mise en route progressive des diverses étapes d'un système de commande de plus en plus sophistiqué.

III. — Niveaux de commande proprement dits

Dans la plupart des cas pratiques, à l'organisation verticale en niveaux fonctionnels, précédemment définis, se juxtapose une organisation horizontale liée au fait que, au lieu de chercher à commander un système complexe globalement, il est souvent préférable d'en assurer la commande par morceaux, comme le montre la figure 32.

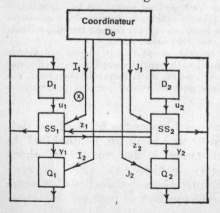

Fig. 32

Commande hiérarchisée : notion de niveaux d'influence (ou de commande proprement dite).

Ce qu'il faut entendre par « morceaux » est un problème complexe, qui dépend du contexte général de l'application, du type de commande envisagé, *on-line* ou *off-line*.

Supposons, à titre d'indication, que le problème posé consiste à commander une usine sidérurgique, de l'approvisionnement en matières premières (au niveau du parc à ferraille), à la sortie des produits finis, en queue de laminoirs. Un tel système réel est évidemment fort complexe et comprend des parties diverses : aciérie, *blooming*, laminoirs, parcs divers (à ferraille, à lingots, à billettes, à tôles). Si, vis-à-vis du fonctionnement de l'ensemble on peut imaginer en théorie qu'il soit possible de définir un modèle et un objectif globaux (ce dernier pourrait consister par exemple à maximiser les bénéfices, ou la production, ou le rendement) on conçoit que, pratiquement, une telle optique soit irréalisable. Cela tient, d'une part à la complexité du modèle auquel on aboutirait alors et qui pourrait inclure plusieurs centaines de variables, d'autre part à la difficulté de relier directement les grandeurs physiques du processus à l'objectif global.

Il semble dans ce cas naturel d'essayer de commander séparément les divers sous-systèmes (parcs, aciérie, *blooming*...), notés SS_i fig. 32, cette commande se faisant grâce à des organes de décision D_i sur la base de sous-objectifs Q_i. Il ne faudrait pas oublier toutefois que :

— les divers sous-systèmes ne sont pas indépendants et qu'il existe entre eux des couplages plus ou moins forts. De ce fait chaque sous-système reçoit, de la part du reste du système, une interaction z_i qui intervient dans la définition du sous-problème. Autrement dit, un organe de décision D_i ne pourra atteindre son but que s'il possède, sous une forme ou une autre, une information sur l'état du système entier ;

— quand bien même chaque unité serait capable de résoudre son problème, on n'a aucune assurance que la satisfaction de tous les objectifs locaux entraîne celle de l'objectif global.

Ces deux types de conflits, inter et intraniveaux, ne pourront être résolus que par une unité de décision hiérarchiquement supérieure (D_0 à la fig. 32) dont le but est double :

— fournir aux sous-systèmes une information leur permettant de tenir compte des interactions qu'ils subissent ;

— modifier les objectifs locaux et les coordonner de façon que les décisions individuelles aillent dans le sens de la satisfaction du critère global.

Quant au mode d'action de D_0, si dans la pratique il est complexe, il reste conceptuellement simple et peut se schématiser de trois façons : par prédiction des interactions ; par modification des sous-objectifs ; par action mixte portant à la fois sur les interactions et les sous-objectifs.

*
* *

Les difficultés essentielles de ce type de commande hiérarchisée sont liées à des problèmes de convergence des algorithmes utilisés. La coordination, quel que soit le mode de fonctionnement envisagé, ne peut se faire en effet que d'une manière itérative. Par exemple, dans le premier cas envisagé, D_0 communique aux sous-systèmes une information quant aux interactions estimées. Sur cette base les organes D_i déterminent la commande à appliquer et D_0 vérifie si le fonctionnement global est correct. Si les interactions réelles se révèlent différentes de celles qui avaient été estimées une nouvelle estimation est communiquée aux D_i et ainsi de suite.

Les avantages qu'on peut en attendre sont de deux sortes :

D'une part cette façon d'envisager la commande permet de ventiler à divers niveaux la masse globale des calculs à faire. Ceci permettra par exemple d'envisager une commande assez simple sur les unités décentralisées en concentrant les calculs complexes au niveau d'un calculateur commun, gérant l'ensemble, tout en réduisant les transferts d'information nécessaires.

D'autre part une telle approche permet, lorsqu'on a le choix entre des politiques optimales et quasi optimales et étant donné le prix maximal que l'on veut mettre dans la réalisation du système de commande, de trouver la meilleure structure, c'est-à-dire, finalement, le meilleur indice de performance.

CONCLUSION

Du problème simple de commande de température qui a servi au chapitre Ier à introduire la notion de servomécanisme, à ceux, très complexes, évoqués aux chapitres VI et VIII, on mesure le chemin parcouru en quelques décennies, tant en ce qui concerne les performances demandées aux systèmes de commande qu'en ce qui concerne la complexité des « objets à commander ». C'est ainsi que les problèmes de commande optimale et ceux ayant trait à la commande de systèmes complexes, pour ne citer que ceux-là, constituent à l'heure actuelle des domaines essentiels.

L'approche de tels problèmes n'a toutefois été rendue possible que par le développement des calculateurs et de la micro-électronique et, de fait, les méthodes actuelles de la commande regroupent un certain nombre de méthodes développées naguère de façon indépendante, qu'il s'agisse de celles de la recherche opérationnelle, de celles des automates finis, des relations homme-machine...

Sans aucun doute, faut-il voir là un signe de la vitalité de cette science qu'est l'Automatique.

TABLE DES MATIÈRES

1973. — Imprimerie des Presses Universitaires de France. — Vendôme (France)

ÉDIT. N° 32 366   IMPRIMÉ EN FRANCE   IMP. N° 23 701